UN VIEUX SAGE M'A DIT...

André Harvey

UN VIEUX SAGE
M'A DIT...

Éditions de Mortagne

Éditions
Les Éditions de Mortagne
250, boul. Industriel, bureau 100
Boucherville (Québec)
J4B 2X4

Diffusion
Tél.: (514) 641-2387
Téléc.: (514) 655-6092

Illustrations intérieures
Réjeane Michaud

Dépôt légal
Bibliothèque nationale du Canada
Bibliothèque nationale du Québec
3e trimestre 1991

ISBN: 2-89074-421-3

1 2 3 4 5 - 91 - 95 94 93 92

Imprimé au Canada

Ce livre est dédié à la Femme qui,
par son extraordinaire ouverture d'esprit
et son insatiable désir de «comprendre»,
est en train de faire franchir
à l'humanité un pas de géant.

Aux femmes de ma vie...

Reine-Marguerite,

ma mère qui, à l'image de certaines fleurs, prend ses plus belles couleurs à l'automne.

Céline,

mon épouse, qui a toujours su être à la fois l'amour de ma vie et ma meilleure amie.

Barbara et Annick,

Mes deux filles, qui m'amènent à me surpasser constamment et me permettent de conserver ma simplicité.

Un merci bien spécial à *Réjeane*, auteure des dessins du présent ouvrage, dont l'amitié sincère et l'art de dédramatiser la vie ont su devenir pour moi, avec les années, une source intarissable de motivation.

Un clin d'œil amical à Marc Denault, ce complice des dernières heures, qui par ses commentaires judicieux m'a permis de progresser dans ma démarche de non-jugement et de respect des croyances de chacun.

TABLE DES MATIÈRES

INTRODUCTION

Cinq années ont passé depuis le jour où, pour la première fois, j'osais laisser jaillir du bout de ma plume ces pensées qui mûrissaient en moi et que je n'osais dévoiler au grand public de peur de me faire juger! C'était alors les balbutiements d'un premier «bébé» qui devait naître trois ans plus tard et se nommer *Sur la voie de la Sagesse*.

Depuis ce temps, beaucoup d'eau a coulé sous les ponts. Ce «vieux curé» qui sommeillait en moi et qui prenait plaisir à parler du haut de sa chaire en est heureusement descendu aujourd'hui et a gagné ainsi, du moins je l'espère, quelques lettres de... sagesse. Il a décidé d'écouter ce vieux sage qui le suivait patiemment depuis belle lurette, mais dont il ne réussissait jamais vraiment à admettre l'existence. Il est devenu beaucoup plus tolérant envers lui-même et, par conséquent, envers les autres. Il a développé un plus grand respect des idées d'autrui. Je me souviens d'avoir entendu quelque part qu'on a toujours les qualités de ses défauts, c'est-à-dire que si un côté plus sombre de notre personnalité semble plus apparent, c'est qu'on porte également au plus profond de nous son côté opposé (positif), prêt à surgir si on décide de le dévoiler.

À une période de ma vie, il était essentiel pour moi de tout compartimenter dans des tiroirs étiquetés «bien» et «mal». Il fallait qu'en toute situation une partie ait raison et l'autre tort!

Puis, j'ai enfin compris que ces deux concepts n'existaient pas, et que pour certaines personnes une chose pouvait sembler mal, tandis que pour d'autres la même situation pouvait convenir parfaitement. J'en ai donc conclu que tout dans la vie n'était qu'expériences, et que nous avions toujours le choix de les vivre dans l'harmonie ou dans la dysharmonie. Quand on décide de faire ce choix en toute conscience, alors tout devient plus facile. J'ai l'absolue certitude qu'il n'est pas toujours nécessaire de souffrir pour comprendre...

Mais ne croyez surtout pas que depuis cinq ans André Harvey a complètement changé. Il a tout simplement évolué d'un cran, si on peut parler ainsi, et fait disparaître les limites qu'il s'était imposées bien inconsciemment d'ailleurs. Afin de pouvoir cheminer sur cette voie de la sagesse, il est souvent très utile d'avoir des points de repère, des «bornes» nous évitant de zigzaguer constamment sur ce chemin et de perdre un temps fou à nous demander si nous sommes toujours dans la bonne direction. Après un certain temps, lorsque ces balises ne sont plus nécessaires, il est important de les écarter une à une, de les transcender pour voir au-delà, toujours plus loin.

Le présent ouvrage est donc une suite logique à mon «premier-né», mais il est rédigé dans une optique empreinte d'une plus grande tolérance et d'un profond respect des croyances de chacun. *Quelle que soit la voie qu'a empruntée un être pour parfaire sa croissance personnelle, en autant qu'il y est heureux et de plus en plus conscient de sa propre valeur et de sa capacité de s'organiser lui-même, je crois sincèrement que c'est sa voie de la sagesse, sûrement la meilleure pour lui à cette période précise de sa vie.*

Ce vieux rêve de sagesse me hante, depuis ma tendre enfance, et c'est ce qui attise en moi ce désir ardent de chercher sans cesse plus loin, de vouloir constamment soulever un autre coin du voile de la vérité, de tenir toujours un œil ouvert, à l'affût d'une nouvelle particule de connaissance qui me fera comprendre un peu plus la vie.

Mon vieux sage me disait que la sagesse d'un être dépendait en grande partie de sa capacité à déterminer ce qui est bon pour lui et à éviter de se faire imposer des croyances. Cet ouvrage a justement pour but de fournir à l'«apprenti-sage» quelques éléments supplémentaires lui permettant de se faire une idée personnelle sur divers sujets, et de tirer ses propres conclusions à partir de données plus universelles, plus objectives. Il sera alors en mesure d'en évaluer la justesse grâce à son intuition. Loin de moi l'intention de trancher au couteau le «bien» et le «mal» d'une situation. Tant de gens, de groupements s'en font une spécialité, et je ne voudrais pas empiéter sur leur terrain... Mon intervention consistera plutôt à examiner une situation sous tous ses aspects, afin qu'elle puisse être étudiée globalement, sans parti pris.

Nous avons souvent la désagréable habitude de laisser les autres décider à notre place. En effet, combien de fois nous a-t-on dit que nous ne pouvions déterminer par nous-mêmes si telle ou telle chose était bonne pour nous, simplement à cause de notre manque de connaissances, de notre étroitesse d'esprit, de notre méconnaissance des Grandes Lois. Il est sûr que l'ignorance de ces Lois est en partie responsable de la dysharmonie qui règne actuellement sur terre, mais ce qu'on a oublié de nous mentionner alors, c'est que nous avions en nous également le meilleur des guides, le plus impartial des juges, cette particule divine qui sait tout et qui ne demande qu'à s'exprimer par l'intermédiaire de notre **intuition**: notre voie intérieure. C'est avec cette intuition que nous allons travailler tout au long de ce livre.

C'est à elle que nous nous référerons pour déterminer, en cas de doute, ce qui est bon ou non pour nous, ce qu'il est sage d'accepter comme croyance à cette période précise de notre développement. Nous apprendrons à nous fier à notre jugement, à prendre nos propres décisions, à créer notre «base de données» personnelle. Nous pourrons enfin décider de choisir les croyances qui nous semblent plausibles sans craindre de nous tromper.

> *L'erreur n'existe pas. Seule la leçon que nous tirons de chacune de nos expériences compte!*

Au fil des pages qui suivent, je tenterai de vous faire partager ce qui, durant mon cheminement personnel, m'a permis de découvrir que certaines croyances pouvaient varier d'une personne à l'autre tout en étant aussi valables. L'approche du sage est d'abord celle de la **tolérance** et du **non-jugement**.

Je me suis souvent demandé, et le lecteur également j'en suis sûr, si la «Sagesse» avec un grand «S» n'était réservée qu'aux seuls grands sages vivant en Inde ou dans quelqu'autres contrées au cœur de l'Himalaya, ne se nourrissant que de plantes, d'amour et d'eau fraîche, ne travaillant qu'à la transcendance de leur Moi supérieur par la méditation et n'étant visités que par de rares disciples ayant réussi à découvrir leur refuge. Peut-être cette Sagesse n'est-elle accessible qu'à de grands érudits qui, à la suite d'une vie de lecture et d'analyse de livres sacrés, en sont finalement arrivés à connaître **tout**, à posséder la Vérité! Évidemment, ces descriptions sont un peu colorées, mais vous seriez étonnés de voir combien de gens cherchent la sagesse dans l'une de ces catégories.

En ces temps où l'univers déverse sur le monde une quantité de plus en plus abondante de connaissances, et cela à tous les niveaux, je suis persuadé que toute personne peut maintenant acquérir cette sagesse à condition qu'elle le désire vraiment. Ce besoin de sagesse, amorcée à la naissance, peut apparaître et s'intensifier à tout âge, en toute circonstance, en tout pays, et peu importe la couleur, le rang social et l'état de conscience de la personne. Il suffit simplement de vouloir s'améliorer et de rechercher cette sagesse à travers le perfectionnement de toute chose. La sagesse s'acquerra alors peu à peu, à tout moment de la journée, à travers tout événement, heureux ou malheureux de notre existence. Elle n'est plus l'apanage des Grands Sages, mais bien la planche de salut de notre génération qui entre dans une ère où les valeurs religieuses et politiques dégringolent à vive allure. La recherche de la sagesse est un but qu'on peut viser toute notre vie, et qu'on peut même atteindre si on le désire ardemment.

La sagesse peut également se résumer en ces deux mots: **être heureux**. Mais pour être heureux, il faut d'abord cesser d'avoir peur de tout, car c'est en partie la peur qui bloque la voie de la **connaissance**. Avez-vous remarqué que nous n'avons peur que de ce que nous ne connaissons pas en profondeur? La mort, par exemple, est le cauchemar de bien des gens souvent parce qu'ils n'ont jamais osé aller au-delà de leurs préjugés; ils n'ont donc pas compris ce phénomène aussi naturel que la naissance. La mort, vue sous un autre angle, n'est-elle pas effectivement une naissance, mais dans un autre monde? Où sommes-nous avant notre naissance, et après notre mort? Peut-être au même endroit! Quand nous cesserons d'avoir peur de la mort, nous pourrons enfin vivre pleinement notre moment présent. Quand nous la connaîtrons suffisamment, nous cesserons de la craindre. Il en est d'ailleurs ainsi pour toutes nos peurs. Quand nous connaîtrons toutes les étapes de la vie, et ce sur tous les plans, nous nous apercevrons que nous sommes et serons toujours maître de notre destinée. Nous verrons également que si nous pensons constamment **Lumière**, si nous tentons d'être **Amour** dans tous nos gestes et toutes nos paroles, nous installerons en nous et autour de nous une «aura» de sagesse et de bonheur, qui non seulement nous rendra heureux, mais se répandra sur tout notre entourage. C'est peut-être cet «état de grâce» dont on nous parle depuis si longtemps! C'est ce miracle qui se produit lorsqu'une personne entre dans le champ magnétique de certains Grands Maîtres, authentiques et réalisés. et en ressort complètement changée, réharmonisée.

Cette sagesse est donc accessible à quiconque le désire et consent à la développer à travers les échecs et les réussites. *Toute erreur, si elle est bien utilisée, devrait permettre d'atténuer sinon d'éviter la suivante!*

Tout au long de cet ouvrage, j'aborderai différents sujets, certains controversés, d'autres tabous. Je tenterai de les traiter non pas en les jugeant, mais en les examinant sous un éclairage nouveau, universel et réaliste. Je ne condamnerai jamais, je ne jugerai pas non plus. Qui peut prétendre détenir la Vérité! Je vous présenterai plutôt des éléments permettant de comprendre et de porter votre propre jugement, et ce à partir de données qui me paraissent plausibles. **Mon but est de**

fournir des éléments de compréhension et non de prouver quoi que ce soit.

Avant de vous dévoiler ce que mon vieux sage m'a permis de vous transmettre, je demande donc à un Être de Lumière d'accompagner chacune de vos pensées au fil de ces pages, afin que vous puissiez y puiser au moment voulu ce qui est bon pour vous, ce qui peut apporter un élément positif à votre évolution vers la sagesse et le bonheur.

Vous trouverez également à la fin de chacun des chapitres quelques phrases qui vous permettront, si vous en ressentez le besoin, de passer «de la parole à l'action». Vous pourrez répéter ces phrases régulièrement, aussi longtemps et aussi souvent que vous le jugerez nécessaire, ou tout simplement les retranscrire sur un papier que vous glisserez sous votre oreiller, par exemple. Dans ce dernier cas, votre subconscient s'en imprégnera peu à peu durant votre sommeil. Par ce geste concret démontrant une volonté d'agir, vous enclencherez un processus qui entraînera une amélioration dans votre vie, en accord avec l'Harmonie divine!

Rien n'a la vie dure comme une erreur qu'on a laissé passer.

Odilon Harbour

Le monde progresse grâce aux choses impossibles qui ont été réalisées.

André Maurais

Ne pas savoir toutes les choses est une bonne part de sagesse.

François Veuillot

On ne consent pas à ramer quand une force intérieure nous pousse à voler.

Helen Keller

Ce qui est hazard au regard de l'homme est dessein au regard de Dieu.

Bossuet

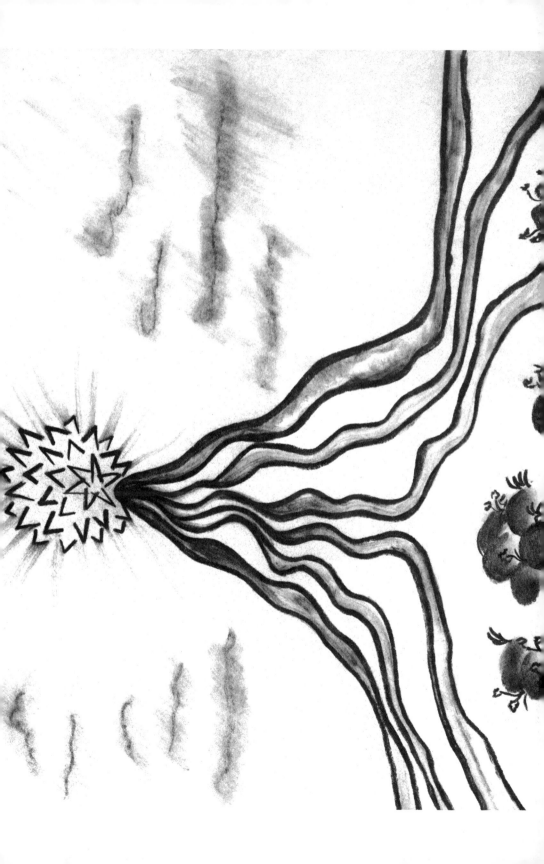

Chapitre 1

LA TOLÉRANCE OU LE RESPECT
DU CHOIX DE VIE DE CHACUN

*«On peut très souvent mesurer la sagesse
d'un homme à son degré de tolérance.»*

La tolérance permet de laisser à chacun la liberté de prendre l'orientation qu'il estime la meilleure pour son évolution. En effet, en y regardant de plus près, on arrive très facilement à la conclusion qu'une croyance, une ligne de pensée, peut être bonne pour une personne, moins bonne pour une autre et carrément néfaste pour une troisième! Par exemple, le fait d'adhérer à une religion peut être très bénéfique pour certains mais totalement nuisible pour d'autres. L'encadrement dogmatique dans lequel cette religion placera la personne en question pourra même retarder son évolution, car elle lui déconseillera ou lui interdira rigoureusement d'aller au-delà de ce qu'elle qualifie de «mystère», terrain qu'elle estime trop hasardeux pour s'y aventurer. Chaque personne a sa propre façon de comprendre les choses, de vivre ses expériences, d'absorber goutte à goutte ses parcelles de vérité, et ce de façon bien précise et à des moments déterminés de sa vie, comme si tout était orchestré spécialement pour elle...

Je me souviens, il y a quelques années, lorsque j'étais au tout début de mon questionnement intérieur, de mon transfert graduel de la vie religieuse à la vie spirituelle. À cette époque, je ne croyais pas du tout en la réincarnation. À mes yeux, cette notion était illogique, sans aucun fondement scientifique valable et, par conséquent, totalement inconsistante. Il faut dire que je n'avais pas encore pris la peine de l'étudier en profondeur et d'en examiner les principes de base. Mais peu importe! Je croyais posséder la Vérité et j'étais en outre persuadé que tous ceux qui adhéraient à cette théorie sur la réincarnation étaient des «illuminés irréalistes» vivant le plus souvent dans les nuages, et par surcroît... dans l'erreur!

Quelques années plus tard, après avoir vécu de nombreuses expériences de «projections astrales» (appelées également «sorties hors du corps», «voyages astraux» ou décorporations), je pris vraiment conscience de l'existence concrète de l'âme, ainsi que de son processus de détachement du corps au moment du sommeil, comme de la mort. Je me mis à examiner de plus près cette notion de vie après la mort et de retour cyclique de l'âme dans un nouveau corps physique, dans le but de poursuivre son évolution. À ma grande surprise, je vous l'avoue, j'y trouvai des réponses qui me parurent logiques, et qui soulevaient le voile sur des centaines de questions existentielles, questions qui me préoccupaient depuis ma plus tendre enfance, tels l'injustice, les inégalités sociales, les différences entre les races, le fait qu'un enfant de cinq ans puisse écrire une symphonie alors que son voisin ne sait même pas écrire son nom, etc. Après mûres réflexions, je dus admettre mon penchant favorable envers cette nouvelle philosophie que j'endossai dès lors. Hélas! je tombai dans le piège! Je me mis encore une fois à croire que je détenais la Vérité et je considérais, dans ma grande intolérance, que tous ceux qui ne croyaient pas en la réincarnation étaient des êtres bornés, limités, qui ne pouvaient aller plus loin dans leur évolution. Tout ce qui allait à l'encontre de cette vision me semblait hors de la Grande Vérité universelle, dont je croyais être le détenteur!

Puis, après avoir traversé cette étape d'intolérance «chronique», je fis une autre découverte qui changea complètement ma façon de voir les autres. Je pris conscience de cette nouvelle vérité à la fois simple mais primordiale: **peu im-**

porte nos croyances, l'important c'est qu'elles répondent à nos questions, et que nous soyons heureux. À partir de ce moment, je cessai de gaspiller mes énergies à essayer de prouver la véracité de mes points de vue aux autres et je me contentai de répondre aux questions qui m'étaient posées. Je constatai que le simple fait de croire ou non à la réincarnation n'avait aucune importance, que l'essentiel était que cette croyance nous apporte quelque chose de positif, de vivifiant. Je me rendis compte que la meilleure façon de trouver ma propre voie spirituelle était d'aller vers ce qui me semblait tout simplement le plus plausible et de l'approfondir sans idée préconçue. On a souvent tendance à laisser ses préjugés décider de la justesse de telle ou telle croyance.

Durant une grande partie de ma vie, je me suis contenté de croire aveuglément en la religion catholique et de ne pas me poser de questions sur la profondeur de la spiritualité. Cette période au cours de laquelle je me vis entre autres confiné pendant sept longues années au Petit Séminaire de Québec, dans un encadrement religieux extrêmement sévère, fut pour moi une étape très fructueuse qui me permit d'établir les bases d'une certaine démarche spirituelle, limitée bien sûr, mais nécessaire. À ce moment-là, le fait de nier l'existence d'un retour de l'âme sur terre dans un autre corps me rassurait; l'environnement religieux dans lequel je baignais m'évitant de m'engager dans des chemins que je n'étais pas encore prêt à parcourir seul. Quelques années plus tard, le fait de croire à la réincarnation me fit voir la vie sous un autre jour et m'ouvrit la voie à des horizons nouveaux dont je pouvais maintenant assumer les conséquences.

À mon humble avis, il en est ainsi de toutes les religions, de tous les groupements et de toutes les idéologies quelles qu'elles soient. Chacun peut y trouver sa voie à une certaine période de sa vie. Le seul danger est de s'y complaire et d'y stagner alors qu'il serait sans doute préférable de franchir une autre étape, d'aller vers autre chose, d'**élargir ses horizons**. C'est ainsi qu'on découvre le véritable «apprenti sage». *Chacun doit savoir prendre en toute chose, en toute situation, ce qui fait son affaire et se servir de son intuition pour discerner* *ce qui est bon ou non pour soi.* Personne ne doit se sentir obligé d'acheter une croyance qu'elle soit transmise par une personne, une religion ou un groupement. Par contre, il faut se sentir bien à l'aise de chercher dans diverses sources (livres, conférences, etc.) pour **identifier** ce qui fait son bonheur, ce qui convient à ce moment précis du cheminement. Quand un être réussit à se faire suffisamment confiance pour mettre en pratique ce principe de recherche et de discernement, il devient alors tolérant envers lui-même et, par conséquent, envers tous les hommes n'ayant pas les mêmes lignes de pensée que lui. Il ne succombe plus à la tentation de toujours chercher à prouver qu'il a raison, qu'il détient la Vérité, que sa voie est la Voie, celle qui doit être suivie par le reste du monde...

Vous avez sûrement déjà remarqué que ceux qui tentaient constamment de prouver leur point de vue n'en étaient souvent pas convaincus eux-mêmes! Ce qu'ils essaient de prouver aux autres, c'est en réalité à eux qu'ils veulent le faire croire en cherchant à obtenir l'assentiment de leurs interlocuteurs. Quand on est réellement convaincu d'une chose, elle devient par le fait même une partie de soi et on n'éprouve plus le besoin de prouver son existence, car on la fait transparaître.

Donc, la tolérance et le respect du chemin choisi par chacun doivent être mis en tête de liste de nos objectifs lorsque nous entreprenons un cheminement vers la sagesse.

Un jour que je donnais une conférence sur ma conception de la vie, de la mort et de la réincarnation, un scientifique me déclara très honnêtement qu'il trouvait un peu simpliste ma façon de voir les choses et qu'il préférait des explications plus rationnelles. Je lui répondis que je ne pouvais malheureusement pas lui en fournir et qu'il n'était vraiment pas obligé de me croire si son cœur lui dictait le contraire. Le fait qu'il soit sûr que sa vision des choses était la meilleure, et qu'il ait le courage de le clamer devant tout le monde, prouvait effectivement qu'il ne devait pas la changer pour l'instant. Je lui demandai seulement de garder l'esprit ouvert au cas où il aurait besoin d'éléments supplémentaires, éléments que ce précieux rationnel ne pouvait résoudre. Pour cet homme, toute explication à quelque phénomène que ce soit devait d'abord passer par l'intellect et la démonstration scientifique. Ma conception de l'âme qui revient vie après vie connaître diverses expériences dans les différents corps, à travers la maladie et les infirmités, dans le but d'atteindre la perfection lui semblait trop simple pour être «vrai». Pour lui, l'évolution de l'âme à travers un corps malade relevait de la pure fiction. Après toutes ces années de recherches, je me suis finalement rendu compte que tout était d'une incroyable simplicité, mais que nous avions le don de tout compliquer!

> *L'homme est corps et esprit, rationnel et intuitif;*
> *le mariage des deux donne naissance à la sagesse.*

Il ne s'agit pas non plus de subir et de tolérer sans dire mot! Il est même de notre devoir d'affirmer notre point de vue avec détermination et force, s'il le faut, afin de réveiller ceux qui dorment au bout de «leur» route et qui ne demandent, bien qu'inconsciemment, qu'un coup de pouce pour s'élancer à leur tour vers de nouveaux horizons plus lumineux. Jésus, ce Grand Sage, n'a-t-il pas réagi avec vigueur en certaines occasions pour éveiller la conscience de ceux qui s'enlisaient dans leurs vieilles habitudes? Quand on dit «tolérer», on veut dire tout simplement «accepter» que certaines personnes puissent penser autrement que nous et soient sur un chemin d'évolution différent, quoique probablement tout aussi valable que le nôtre. C'est la position que devront emprunter les grandes religions si elles veulent survivre à cette ère où tant de changements intérieurs et extérieurs se produisent.

Si vous voulez bien, je vous propose de faire un petit voyage au pays de la tolérance. Fermons les yeux et imaginons un instant que tous les humains deviennent soudainement de plus en plus tolérants les uns envers les autres et acceptent les différences entre **eux**. Alors les guerres politiques, religieuses et idéologiques deviennent en un tournemain choses du passé! Le musulman peut cohabiter avec le chrétien, et même l'athée a son mot à dire! Chacun suit sa route et apprend à se respecter et à respecter l'autre. Tout homme voit en son prochain une parcelle divine tentant de se frayer un chemin vers un certain bonheur, une certaine connaissance, un certain but commun à tous: l'Amour. Tout homme, sans exception, qu'il s'agisse du pire des truands ou du plus grand des sages est à la recherche de cet Amour. Au fond de lui-même, il est mû par un désir souvent inavoué d'être aimé!

Avec la tolérance, tout prend un sens élargi et nouveau. Plus rien ne parvient à nous scandaliser. La tolérance permet de comprendre le bien-fondé de toute chose et rend inutile et incohérent le «jugement» des autres, de soi et des événements. L'homme sage qui pratique la tolérance ne dit plus aux autres ce qu'ils doivent faire, il explique plutôt les lignes de pensée qui l'ont amené vers sa sagesse, qui lui ont permis de faire grandir son bonheur. *N'oublions jamais que le sage est avant tout un être heureux!* C'est d'ailleurs son but premier! On peut rencontrer de grands sages dans toutes les couches de la société. Bien souvent ceux-ci s'ignorent et de toute façon n'oseraient se proclamer «sage».

Donc, en se respectant soi-même dans ses croyances, en y demeurant le plus fidèle possible, et en acceptant celles des autres, on devient de plus en plus tolérant. On n'a plus rien à prouver et on ne perd plus d'énergie à démontrer que l'on détient la Vérité. On la devient, c'est tout, pour enfin l'émaner par son état d'être!

À partir de maintenant, je vois en chaque être une parcelle divine à la recherche de sa propre vérité. Je laisse à chacun le loisir d'emprunter sa propre voie. Je suis de plus en plus tolérant et je respecte le choix de chacun.

Si vous jugez les gens,
vous n'avez pas le temps de les aimer.

Mère Thérèsa

L'arc-en-ciel naît du mariage du soleil et de la pluie.

Gustave Baudelaire

*Vous ne pouvez pas changer les faits, mais vous pouvez
changer d'opinion devant certains événements.*

Blaise Pascal

*On ne va pas loin dans l'amitié quand on n'est pas disposé
chacun à supporter les petits défauts de l'autre.*

Gustave Thibon

*La vie est de plus en plus claire
à mesure que nous avançons
et la raison de chaque chose apparait plus évidente.*

Paul Valéry

*Pour l'harmonie du monde, il faut que chacun chante
la chanson qu'il sait.*

J. Clavet

*Nous sommes prêts à tout faire pour ceux que
nous aimons, sauf à les prendre tels qu'ils sont.*

Paul Valéry

Chapitre 2

L'HOMOSEXUALITÉ

«L'homosexualité n'est pas une maladie
mais une transition entre deux corps
de sexe différent.»
Edgar Cayce

Nombre de gens ont tendance à condamner l'homosexualité sans même en connaître les causes réelles, qui remontent très souvent bien avant la naissance. De nos jours, qui dit homosexualité dit déviation, maladie «incurable», perversion. Mais lorsqu'on cherche à savoir sérieusement pourquoi certains êtres viennent au monde avec des traits de comportements propres au sexe opposé on se trouve presque chaque fois face au néant, jusqu'au jour où on émet l'hypothèse de l'existence des vies antérieures. Les recherches que j'ai effectuées dans ce domaine m'ont permis d'élargir mon champ de vision sur le phénomène de l'homosexualité. Je vous présente ici les conclusions que j'en ai tiré, non pas en tant que nouveau dogme, mais à titre de réflexions personnelles.

Puisque tout est basé sur la recherche constante d'équilibre, une âme devrait donc choisir de se réincarner successivement dans un corps féminin puis dans un corps masculin, maintenant ainsi une parfaite harmonie entre ses deux pôles. Mais selon ce que l'âme en question a décidé de vivre au cours de sa ou de ses prochaines incarnations, elle peut passer outre à cet état de chose et choisir de rester jusqu'à sept vies consécutives dans un corps de même sexe. Il est alors facile de comprendre que si une âme passe six ou sept vies dans le corps d'une femme et se retrouve soudain dans le corps d'un homme qu'elle ait gardé certaines habitudes qui se sont ancrées en elle depuis des centaines, peut-être même des milliers d'années, selon le temps écoulé entre chacune de ses incarnations.

Le corps humain se compose de millions de cellules dont les *mémoires* enregistrent la moindre émotion, la plus petite peur, la plus insignifiante habitude pour former peu à peu un bagage d'expériences qui subsistent d'une vie à l'autre. Les mémoires de ses cellules conservent fidèlement les plus infimes parties de ses pensées et de ses programmations. Par exemple, lorsqu'on accepte la possibilité qu'une maladie puisse surgir annuellement (pneumonie, malaria, etc.), les mémoires, qui enregistrent tout, font en sorte qu'elle réapparaisse chaque année et très souvent précisément à la même date! On peut remédier à cette situation en demandant simplement, mais fermement, aux cellules de chasser de leurs mémoires certaines programmations et de les remplacer par des suggestions plus positives.

Ainsi, dans le cas d'une personne qui aurait été une femme durant ses dernières vies, ses cellules garderont en mémoire certains comportements féminins et créeront un «déséquilibre» lors de son incarnation dans un corps masculin, et vice versa. Il faut également dire que plus l'âme se réincarne rapidement, plus ses *mémoires* sont fraîches et ont tendance à faire surface rapidement.

Considérant ces faits, on ne peut donc rien trouver de répréhensible aux tendances homosexuelles qui surgissent en soi ou chez les autres. Par contre, cette recherche d'équilibre pourrait être ralentie par la complaisance dans certaines habitudes. Il est très important de comprendre que rien n'est laissé au hasard. L'âme, bien avant de voir le jour sur terre, sait très bien qu'elle devra faire face à cette situation. Elle est également bien consciente qu'elle devra alors choisir de rétablir ou non cet équilibre en elle, à moins qu'elle ait une mission très précise à effectuer.

Edgar Cayce, grand médium américain, nous décrivait le phénomène de l'homosexualité en ces termes: «*Ainsi les homosexuels seraient des entités en transition entre deux corps de sexe différent, et non pas des anormaux ou des pervers. Mais, plus simplement, des entités qui ont changé récemment de sexe et ne sont pas encore habitués à leur nouveau corps*[1].»

Dans la nature, comme dans le cosmos tout entier, de l'infiniment petit à l'infiniment grand, on trouve toujours les principes masculin et féminin, positif et négatif. Seule l'union de ces deux principes crée la force, la vie. Faisant partie intégrante de cet univers, nous sommes donc régis par ces mêmes lois. C'est pourquoi l'homme doit parvenir à cet équilibre pour poursuivre son évolution. Lorsqu'on accepte ce principe, on admet également que c'est grâce à cet équilibre qu'il sera plus facile d'atteindre et même de dépasser les objectifs qu'on s'est fixés au seuil de cette incarnation.

C'est également à ce moment qu'on peut amorcer un travail de «rebalancement» pour rétablir notre équilibre. En effet, celui qui s'aperçoit de la prédominance de l'un ou de l'autre de ses pôles peut choisir de rétablir ou non cet équilibre.

S'il choisit la première solution (la recherche d'équilibre), il devra alors accepter son état d'être comme absolument normal et mettre en marche le processus pour renforcer son côté le plus faible (au lieu de rabaisser son côté le plus fort).

S'il choisit la deuxième solution, il pourra poursuivre son évolution, mais peut-être à une cadence moins élevée que s'il s'abreuvait continuellement à la force extraordinaire engendrée par l'union du positif et du négatif (Yin et Yang) en lui.

Il est très important que le lecteur comprenne que je ne parle pas de déséquilibre dans le sens négatif du terme, mais plutôt dans un contexte de dérèglement de l'harmonie naturelle présente dans tout ce qui existe dans l'univers. Il n'y a

---

1. Dorothée Koechlin de Bizemont, *L'univers d'Edgar Cayce*.

donc rien de «mal» à se maintenir dans cet état de déséquilibre, c'est tout simplement une question de choix.

*Mais alors, me direz-vous, pourquoi devrions-nous faire
des efforts pour rétablir cet équilibre quand le* statu quo *serait
bien plus facile?*

Dans un premier temps, l'être dont le désir profond est
d'évoluer le plus rapidement possible durant sa vie aura
beaucoup plus de chance d'atteindre ou de dépasser ses
objectifs s'il le fait dans un corps où règne l'équilibre à tous
les niveaux: physique, mental, émotionnel et spirituel. Plus
ses polarités seront équilibrées, plus il attirera et captera les
forces lumineuses, les énergies divines les plus pures. Il est
un principe qui dit qu'on attire ce qui se trouve au même
niveau vibratoire que soi. Si on est «Lumière», on attire la
Lumière; si on est ténèbres, on attire les Ténèbres. Ce principe
est toujours présent. Avez-vous déjà remarqué avec quelle
facilité les personnes négatives savent s'entourer de gens qui
leur ressemblent, et comme les personnes positives savent se
grouper «naturellement»? On peut donc en déduire que si on
est en parfait équilibre, on attire les forces les plus harmonieuses et les plus puissantes du cosmos et on peut les
canaliser.

Pour bien comprendre cette affirmation, prenons l'exemple suivant. Deux personnes de sexe opposé canalisent les
énergies divines dans le but de guérir une autre personne.
Celles-ci obtiendront de meilleurs résultats que si elles exé-
cutaient le même travail seules, car les énergies de guérison canalisées passent par le principe père-mère
(masculin-féminin) et se décuplent avant d'être transmises au
patient. J'ai moi-même pu constater cet état de fait en travaillant en polarité avec et sans mon épouse. Nous avons remarqué à maintes reprises que l'énergie circule davantage
lorsqu'on effectue un travail ensemble que lorsqu'on le fait
individuellement.

Dans un deuxième temps, la personne qui tarde à rétablir
cet équilibre pour diverses raisons doit être consciente qu'elle
aura à le faire de toute manière dans sa vie actuelle ou dans

la suivante. Elle se trouvera assurément dans sa prochaine incarnation avec les mêmes tendances – souvent même plus ancrées qu'avant –, les mêmes problèmes, les mêmes choix à faire, mais dans un environnement différent et parfois avec des outils plus adéquats.

Je vous propose cette vision des choses afin que vous puissiez cesser de vous culpabiliser et de culpabiliser les autres lorsqu'on vous parle de l'homosexualité, ce sujet si controversé. Ce qu'il importe de bien comprendre, c'est qu'on a toujours le choix. La recherche constante de la connaissance a cet avantage extraordinaire de permettre à l'être humain de faire ses choix en toute connaissance de cause, en dehors de tout préjugé ou fausse conception du bien ou du mal.

Mais que peut-on faire si on découvre un jour ce déséqui-libre en soi et si on décide de réagir?

Il faut d'abord, sans aucun doute, accepter cet état de fait sans se le reprocher. Ensuite, il faut prendre la ferme décision de rétablir l'équilibre en soi en y consacrant le temps néces-saire et sans jamais douter du résultat de cette démarche. Lorsque les bases de ce choix sont clairement établies, le travail peut commencer. Il faut alors entreprendre de renfor-cer le côté le moins développé. Par exemple, un homme ayant le côté féminin prédominant en lui aurait avantage à choisir des occupations demandant une activité plus physique, plus virile, au cours desquelles il aurait à passer à l'action, à prendre des décisions, etc. S'il a des talents pour des activités plus «féminines», il ne s'agit pas de les délaisser, mais plutôt de s'efforcer à en développer d'autres plus masculines et de s'y attarder un peu plus. Par ailleurs, une femme dont le côté masculin serait le plus fort devrait pratiquer des activités apportant davantage de sensibilité, d'intuition et de création. Elle pourrait s'efforcer de s'habiller avec plus de raffinement, de développer une plus grande douceur dans ses gestes, dans sa voix, etc.

C'est à mon avis mettre la charrue avant les bœufs que d'essayer de régler le problème strictement d'un point de vue sexuel. C'est le comportement intérieur de la personne, sa façon d'agir qui doit être modifiée en premier lieu. L'attirance sexuelle envers le sexe opposé se fera progressivement et beaucoup plus facilement lorsque l'équilibre intérieur des cellules sera rétabli. De là l'importance de consulter certains thérapeutes qui aideront la personne en question à effacer des mémoires de ses cellules les comportements de ses vies antérieures dont elle désire se libérer.

Lorsqu'on poursuit une démarche spirituelle, on apprend à analyser ce qui se passe en soi, on arrête de tout dramatiser et on voit la vie comme un grand jeu d'où on sort toujours vainqueur. *Dans une incarnation, on ne peut jamais reculer.* On peut parfois «piétiner» longtemps, mais jamais reculer! À chacun le loisir de choisir sa vitesse de croisière...

À partir de maintenant, et de plus en plus, la Sagesse divine attire vers moi les gens et les événements qui me permettent d'atteindre un équilibre parfait entre mes pôles positif et négatif, masculin et féminin, et ce à tous les niveaux. Je tends de plus en plus vers l'Équilibre divin.

Le plus grand secret pour le bonheur
c'est d'être bien avec soi.

Fontenelle

Si vous jugez les gens, vous n'avez pas le temps de les aimer.

Mère Thérèsa

Que l'importance soit dans ton regard
et non dans les choses regardées.

André Gide

Être vertueux ce n'est pas jamais tomber;
c'est toujours se relever et toujours essayer de marcher.

Gustave Thibon

Le plus long voyage commence par un simple pas.

Proverbe ancien

Chapitre 3

RICHESSE OU PAUVRETÉ

«Ce n'est pas la possession de biens matériels qui peut être une entrave à l'évolution, mais l'attachement à ceux-ci.»

Je me suis souvent demandé si le sage pouvait grandir dans la richesse ou, au contraire, s'il devait absolument vivre dans la pauvreté. Cette absence de biens matériels est-elle essentielle au développement spirituel? Après avoir fait maintes fois le tour de la question, j'en suis venu à la conclusion que cela n'avait aucune importance! L'évolution de l'homme est complètement indépendante des biens qu'il possède. La seule et unique différence est son attachement à ceux-ci.

Un de mes grands amis fit un séjour en Inde où il vécut quelques mois dans un ashram, sous la supervision de ce qu'on appelle un «guru». Le guru authentique est un être dit réalisé qui a atteint la perfection et dont le mandat sur terre est de transmettre ses connaissances et d'aider les êtres qui le désirent à cheminer sur la voie de la sagesse. Or, disait mon ami, malgré toute la simplicité et la «sainteté» qu'il dégageait, le guru qu'il connut vivait dans un grand luxe! On le voyait même à l'occasion se promener en limousine. Il venait par ailleurs de recevoir une *Rolls Royce* d'un groupe d'admirateurs américains! Je dois vous avouer que cet état de chose me dérangea au plus haut point lorsque je me mis à réfléchir sur l'authenticité de ce Grand Maître. Ma principale préoccupation était alors de savoir s'il s'agissait encore d'un de ces profiteurs dont le but est de s'emparer de l'argent de ses disciples. Mais, fort heureusement, le sérieux de la démarche de cet ami ainsi que sa sagesse m'empêchèrent de tirer des conclusions trop hâtives sur ce guru... aux goussets biens remplis!

Dans un désir d'aller au fond des choses, je demandai durant une méditation à ce fameux maître indien de m'expliquer qui il était réellement et quelle était la signification véritable de son comportement, qui me paraissait peu orthodoxe! Selon la réponse qu'il me donna, je compris qu'il vivait dans un certain luxe, mais qu'il était complètement détaché de ses biens matériels. En d'autres mots, il possédait des richesses à profusion, il les utilisait à bon escient, mais elles n'avaient aucune valeur pour lui. Il pouvait se promener en *Rolls Royce* un jour et le lendemain dans une *Volkswagen* qui tombait en morceaux. Il n'y voyait aucune différence!

Aux yeux du sage, le pauvre, le riche et le malade sont tous sur un pied d'égalité. Ce sont des âmes qui ont choisi de vivre dans cette pauvreté, dans cette opulence, avec cette maladie, et ce dans le but précis de comprendre, d'évoluer. Le sage n'est donc animé d'aucune pitié. **Compassion, oui, pitié, non!** Quand on a la conviction que tout a une raison d'être, on n'éprouve plus jamais de pitié.

Évidemment, la richesse peut apporter un énorme bien-être, mais elle peut également se transformer en piège. En ces temps de perturbations, bien des gens sont à la recherche de «gurus». Le domaine de la connaissance spirituelle et ésotérique est aussi le théâtre de nombreux abus. On a vu quelques prétendus grands maîtres, gurus, prédicateurs, se bâtir des empires où règnent le pouvoir et l'argent, se servir de leur charisme et de leurs connaissances spirituelles pour manipuler leurs disciples et s'enrichir à leur dépens. Certains de ses «sages», peu à peu corrompus par le pouvoir et l'argent, se retrouvent souvent bien malgré eux à la tête d'une organisation qu'ils ne parviennent plus à diriger. Dans la majorité des cas, ils finissent derrière les barreaux après avoir commis des fraudes faramineuses.

Alors, me demandais-je, *quelle est la différence entre ces gens sans scrupules et ce guru indien?* Je compris que la mince frontière qui les séparait était **le détachement total!**

Au départ, tout guru, maître ou prédicateur peut acquérir une grande connaissance de base. Sa démarche peut être mue par un désir sincère d'entraide et d'amour. Il peut s'agir même d'un grand initié ayant reçu pour mission d'enseigner sa sagesse à la communauté. Tous seront d'accord pour dire qu'il a le droit de recevoir une compensation pour le travail exécuté. C'est à ce moment que se tend le piège de l'*ego*! Même le plus grand sage peut s'y laisser prendre, car il vit dans la matière et il possède un corps physique. À mon avis, **personne** n'est à l'abri des embûches de la vie.

Le véritable être accompli, c'est-à-dire celui qui a atteint un très haut degré d'évolution, demeurera totalement indifférent devant les biens que la vie lui apportera. Il ne les refusera pas, mais il n'aura jamais l'envie d'en profiter au détriment des autres. Le sage possédant de nombreux biens considère ceux-ci comme un prêt de Dieu. Si le Grand Patron décide qu'il doit les perdre, il en sera tout aussi bien ainsi. Un sage peut vivre un jour dans une très grande opulence, en profiter pleinement et être heureux, puis le lendemain se retrouver dans le dénuement total, sans que cette situation ne modifie son comportement. Pour lui, seule sa partie divine compte. Il laisse la vie mettre sur son chemin bénédictions et obstacles, au moment jugé opportun et sans jamais s'en révolter. Il considère chacun d'eux comme des outils d'évolution dont il a grandement avantage à se servir.

Certains êtres qui possèdent un grand bagage spirituel mais qui n'ont pas encore atteint ce degré de désintéressement peuvent facilement se faire prendre au jeu de l'autorité, de l'abus du pouvoir de l'argent. Ils tomberont souvent dans le piège, feront de leurs biens une priorité et oublieront parfois l'humilité de leur mission. Ces grands êtres se sont souvent incarnés justement pour apprendre ce désintéressement. Certains réussissent, d'autres échouent. C'est le jeu de la vie! Il n'appartient à personne de les juger. Il vaut mieux laisser la Justice divine s'en charger elle-même!

Je vous ai déjà mentionné que ce guru indien dont je vous parlais précédemment avait reçu une *Rolls Royce* en cadeau. Mais, à ses yeux, cette «chose» était une bénédiction du ciel qu'il avait sûrement méritée, puisqu'elle lui était accordée. La Justice divine étant présente partout, il se devait de l'accepter sans broncher et en remercier humblement le Très-Haut. Par contre, si cette voiture de luxe n'avait pas été mise sur sa route, rien n'aurait changé dans sa vie.

> *Il est donc très trompeur de juger de la sagesse d'une personne à son degré de richesse ou de pauvreté!*

Si on doit juger de la confiance qu'on peut accorder à un guide, il faut vraiment se fier à son intuition et laisser parler son cœur. On peut également évaluer sa confiance selon les œuvres qu'il a accomplies et son degré de désintéressement envers ses biens. On doit chercher à savoir comment il réagirait s'il perdait tout. Celui qui se bâtit un empire et en fait le centre de sa vie, celui dont la sagesse n'est qu'un masque dont il se couvre le visage en présence de ses disciples et qu'il retire aussitôt, a encore beaucoup de leçons à apprendre de la vie.

Un véritable guide sera non seulement détaché de ses biens matériels, mais il le sera également des gens qu'il côtoie. Il n'essaiera jamais de garder ses disciples auprès de lui malgré leur volonté. Sa plus grande joie sera de voir un de ses élèves voler de ses propres ailes, apprendre à être plus heureux, chercher à aller plus loin dans sa quête de sagesse et transmettre à son tour la connaissance qu'il a acquise.

> *Le sage doit donc savoir accepter avec humilité ce qui lui est offert.*

Si la vie offre à un homme des biens matériels, c'est qu'il les mérite. Il en a même besoin pour effectuer le bout de chemin qui est devant lui. Il est donc important de les accepter, puisque tout ce qui existe est d'origine divine. Rien dans l'univers n'est laissé au hasard, tout a sa raison d'être. L'inflexible loi du karma agit dans les deux sens. **On récolte ce qu'on sème**, sans aucune exception à la règle. Si dans une vie antérieure un être a fait preuve de bonté, la Justice divine le récompensera un jour pour ses bonnes actions. On se demande souvent pourquoi telle ou telle personne reçoit un héritage ou gagne un certain montant d'argent, sans l'avoir mérité. Dans bien des cas, il s'agit tout simplement d'une dette karmique que la vie lui rembourse. Tout est remis à chacun, dans le sens positif comme dans le sens négatif, non dans une optique de vengeance mais plutôt de compréhension profonde. Apprendre à accepter ce qui est offert constitue une tâche souvent plus ardue qu'on ne le croit! Cela peut même devenir un acte d'humilité pour certains.

Toute richesse doit être considérée comme un prêt accordé pour un certain temps par la Grande Banque universelle. On peut la conserver dans ses coffres ou la faire fructifier. Le Directeur de la Banque peut décider en tout temps de venir saisir nos biens s'Il considère que ce prêt ne rapporte pas suffisamment de profits ou si l'emprunteur ne fait pas ses paiements régulièrement... La meilleure façon de ne jamais avoir de problèmes pécuniaires serait peut-être de faire circuler son argent et de le mettre sans cesse au service de l'Harmonie et de la Paix universelle!

Mais alors, me direz-vous, doit-on donner toutes ses richesses aux pauvres, afin qu'ils sortent de leur état et s'enrichissent à leur tour? Je vous répondrai qu'il faut tout simplement suivre les «recommandations» de son cœur, et quand je dis cœur, je ne parle pas d'émotions ni d'intellect, mais plutôt d'intuition. Est-il vraiment utile de le sortir de la pauvreté ou serait-il préférable de lui donner les moyens pour qu'il puisse se libérer lui-même de cet état dans lequel il a inconsciemment choisi d'évoluer?

Promenez-vous dans une grande ville et vous rencontrerez à coup sûr des gens qui vous tendront la main pour vous demander l'aumône. Que faire alors? Éternelle question! Suis-je un «sans-cœur» si je ne donne rien? Serai-je puni si je reste impassible devant leur détresse? On a tous un jour ressenti des sentiments de culpabilité dans une telle situation d'autant plus que ces mendiants ont parfois vraiment le don de brandir fièrement devant nos yeux le flambeau de la culpabilité! Je crois qu'il est très important de se sentir entièrement libre d'agir selon son intuition, peu importe ce que dictent son émotion et son intellect.

Le sage qui se trouvera devant un pauvre lui offrira beaucoup plus que de l'argent. Il lui prodiguera une parole, lui offrira un sourire compatissant. Il lui transmettra, souvent à son insu, l'énergie qui circule en lui, afin que celui-ci puisse se sortir de la pauvreté. Selon moi, personne ne peut déterminer la façon dont doit agir son prochain. Seule la personne concernée peut décider du meilleur chemin qui la conduira vers les buts qu'elle s'est fixés, bien souvent avant sa naissance.

Le sage ne dilapide pas non plus son argent ici et là sans raison. Il réconfortera bien sûr le plus démuni, mais au lieu de le prendre en pitié – la pitié étant sûrement l'un des sentiments les plus méprisables qu'on puisse ressentir –, il lui enseignera plutôt une nouvelle façon de penser. Il lui fera prendre conscience que Dieu ne voit aucun inconvénient à ce que toute évolution se fasse dans l'aisance, la joie et le bonheur, et qu'il n'en tient qu'à lui de délaisser la pauvreté pour vivre dans l'abondance.

Un grand sage, Omraam Mikhaël Aïvanhov, disait: «Ce qui est le plus décourageant avec les humains, c'est qu'ils acceptent l'idée de mener une vie limitée; être faible, malade, malheureux, pour eux c'est normal. Ils n'imaginent pas que la vie puisse être autrement[1].»

Si un sage rencontre un malade, il ne le plaindra pas inutilement, la maladie et la pauvreté étant pour lui une occasion d'évolution. Bien sûr, il peut le consoler, le soigner même, mais il lui enseignera également qu'une maladie se manifeste pour une raison précise et que cette raison doit être mise à jour. Au lieu de soigner simplement la maladie, comme la médecine moderne le fait de nos jours, le sage aidera le patient à comprendre le message que veut lui transmettre cette

---

1. Omraam Mikhaël Aïvanhov, *Les Pensées Quotidiennes*, Éditions Prosveta.

maladie. Il l'incitera à apporter les changements nécessaires pour améliorer sa vie. Lorsque le malade a bien compris le message et qu'il a pris des mesures concrètes pour changer son comportement, alors la dysharmonie n'a plus sa raison d'être et la maladie disparaît, si le corps n'est pas trop profondément atteint.

Le sage possédant la richesse pourrait faire soigner ce malade par les plus grands spécialistes et dans les meilleurs hôpitaux du monde. Mais qu'en retirerait-il? Si celui-ci n'a pas compris le véritable sens du message transmis, la maladie reviendra après quelque temps et tout sera à recommencer, peut-être même dans des conditions plus pénibles. À mon avis, il est donc important de respecter le choix qu'a fait une personne – richesse, pauvreté, maladie – pour poursuivre son évolution.

Je crois sincèrement qu'il n'est d'ailleurs pas nécessaire de faire le vœu de pauvreté ou de tout perdre pour apprendre comment se détacher de ses biens matériels. On peut choisir de pratiquer ce détachement peu à peu dans son quotidien, mais il faut alors faire preuve de volonté et de détermination. Y penser c'est bien... mais l'imprégner dans ses cellules par la pratique, c'est autre chose! Plusieurs d'entre nous sont venus sur terre pour profiter du climat actuel de perturbations et de basses vibrations. Étant de très vieilles âmes, il est probable que nous ayons déjà connu cette pauvreté au cours d'une vie passée. C'est pourquoi il devient plus facile de pratiquer le détachement, sans avoir à le faire encore une fois dans le dénuement total. À chacun de choisir!

À partir de maintenant, j'accepte les richesses que la vie veut bien me présenter et je les accueille comme des cadeaux du ciel, dont je me sers avec gratitude et que je fais fructifier en les mettant au service de l'humanité.

Nos plus beaux fruits, nos plus belles fleurs peuvent naître d'une souffrance, d'une blessure.

Marcel Caron

C'est au cœur de l'hiver que j'ai appris qu'un invisible été m'habitait.

Albert Camus

La plus grande richesse d'un homme n'est pas une grosse fortune mais un heureux caractère.

Paul Verlaine

La suprême récompense du travail n'est pas ce qu'il vous permet de gagner, mais ce qu'il vous permet de devenir.

Josée Fortier

Être riche ce n'est pas nécessairement posséder beaucoup de choses. C'est savoir tirer parti au maximum de chacune des choses que l'on possède.

Adrienne Bossé

L'homme généreux se croit toujours riche.

Syrus

Il y a des gens qui n'ont de leur fortune que la crainte de la perdre.

Rivarol

Chapitre 4

L'AVORTEMENT

*«La formation du corps physique de l'en-
fant dans le ventre de la mère n'est que
la dernière étape dans le long processus
d'incarnation de l'âme sur terre.»*

L'avortement peut être considéré de bien des façons. Mon unique but n'est pas de porter un jugement sur cet acte, mais plutôt d'informer le lecteur des différentes étapes par lesquelles doit passer l'âme avant de faire son entrée sur le plan terrestre. Ainsi, en toute connaissance de cause et avec des données plus exactes sur ce processus, chacun pourra se faire une opinion sur la question de l'avortement. Ce qui suit n'est encore une fois que le fruit de nombreuses années de recherche qui m'ont permis de tracer les grandes lignes de ce sujet. Je vous les offre comme réflexions. Il appartient à chacun de tirer ses propres conclusions.

L'aventure commence bien avant la conception proprement dite de l'enfant. L'âme qui est en quelque sorte «en vacances» depuis sa dernière rentrée dans l'au-delà décide après un certain temps de se réincarner afin de poursuivre son évolution; la réincarnation ne pouvant se faire que dans un corps physique. Ce désir est pour l'âme à la fois instinctif et primordial. Il y a un dicton qui dit qu'au plus profond de son âme, tout homme est à la recherche de l'Amour. Ce besoin est effectivement à la base de tout développement spirituel.

Chaque personne est inconsciemment poussée à y aspirer, quels que soient les moyens employés.

Ce désir d'évolution attire donc l'âme dans un long processus, au début duquel elle fixera les objectifs de sa prochaine incarnation, c'est-à-dire ce qu'elle désire expérimenter, vivre et améliorer durant sa prochaine «vie». Elle se choisira alors un caractère de base avec lequel elle devra composer pour atteindre les buts fixés. Ce caractère sera imprégné en elle grâce, entre autres, à la position des astres au moment précis de sa naissance, qui aura lieu en un endroit et un moment bien déterminés. C'est ce dont traite l'astrologie.

L'âme choisit aussi le nom qu'elle portera car celui-ci, de par les vibrations des lettres qui le composent, influencera le comportement de la personne au cours de sa vie. C'est grâce à la numérologie qu'on peut découvrir l'essentiel des tendances que dégage notre nom. Par la suite, ce nom sera transmis aux futurs parents par le biais de leur intuition. C'est ce qui fait dire instinctivement à certaines femmes – dès qu'elles se savent enceintes ou durant leur grossesse – qu'elles appelleront leur futur bébé de tel ou tel nom, sans que rien ne puisse les faire changer d'idée.

Dans un autre temps, et c'est là une étape cruciale, l'âme choisit ses futurs parents par affinité... Elle choisit les êtres qui seront les plus aptes à l'aider durant sa démarche terrestre pour accomplir avec succès son plan de vie. Ainsi seront déterminés l'endroit et les conditions dans lesquelles elle viendra au monde: son environnement, sa famille, ses futurs voisins, etc. Certains seront souvent portés à croire que tout ceci n'est que pure fabulation. Ce sont les mêmes qui affirment que la vie est composée d'une suite incohérente d'événements sans aucun liens entre eux. Je suis personnellement convaincu que le hasard n'existe tout simplement pas. L'univers, ayant été modelé à l'image de son Créateur, est trop bien organisé pour laisser ses éléments se faire ballotter au gré du vent dans un monde qui n'aurait alors aucun sens.

Ce n'est que lorsque les bases de sa nouvelle vie auront été établies que l'âme – qui à ce moment-là se trouve encore dans une dimension très élevée que les anciens appelaient d'ailleurs avec raison le paradis – amorce peu à peu sa descente dans la matière et forme progressivement ses différents corps subtils: atmique, bouddhique, causal, mental, astral, éthérique. Ce processus peut prendre des mois sur l'échelle temporelle terrestre et s'avère une aventure très ardue pour l'âme. On pourrait la qualifier en quelque sorte de descente aux enfers. Autant il est facile de passer du plan terrestre au plan astral après la mort physique, autant il est pénible d'effectuer le chemin inverse, celui menant d'un endroit paradisiaque, où tout respire l'Harmonie et la Lumière, vers un monde cérébral, de matière, de pesanteur. Le retour au travail après des vacances de rêve est souvent une corvée difficile à vivre... mais on s'y habitue vite!

Heureusement, ce désir d'évolution est pour l'âme une pulsion très forte lui apportant toute l'énergie nécessaire pour entreprendre avec détermination ce périple et lui permettre d'arriver à bon port... en pleine forme! À l'apogée de cette étape, lorsque tous les corps subtils sont constitués, l'âme se place au côté de la mère qu'elle a préalablement choisie, car c'est elle qui lui construira sa dernière enveloppe, son corps physique. L'âme attendra patiemment auprès de sa «future» mère le moment attendu de la conception, établi lui aussi à l'avance selon le plan divin.

L'âme peut rester très longtemps auprès de sa mère afin de lui envoyer des messages subtils, des «signes de vie» en quelque sorte! Durant cette période, la mère réceptive verra émerger de ses pensées l'idée d'avoir un enfant... qu'elle appellerait Samuel ou Louise... Ces messages seront transmis également au père qui pourra lui aussi voir surgir en lui les mêmes pensées. Pendant tout ce temps, l'entité s'«attache» à sa mère et se place tout près de son ventre. Sa couleur est, dit-on, d'un bleu ou d'un rose très pâle selon le sexe qu'elle prendra. Une de mes grandes amies, qui a développé ce qu'on a appelé «vision» ou «voyance», c'est-à-dire la possibilité de voir l'invisible, me racontait qu'un jour elle avait pu détecter la présence d'une entité auprès d'une de ses proches, plusieurs mois avant que celle-ci ne soit enceinte.

La vie est donc bel et bien présente avant la rencontre tellement convoitée du valeureux spermatozoïde et de l'ovule. C'est à la suite de cette fusion qu'un lien appelé «corde d'argent» se tissera entre l'âme et son embryon qui est dès lors en état de formation. L'existence de ce «cordon d'argent» est d'ailleurs reconnue depuis des millénaires. Même la Bible en fait mention: «Et les pleureurs tournent déjà dans la rue; avant que le fil d'argent lâche...» (*Ecclésiaste,* deuxième partie, IV: 6)

Tout au long de la grossesse, l'âme sera en contact continuel avec son futur corps physique qu'elle ne peut intégrer durant cette période, car la femme possède déjà une âme (deux âmes ne peuvent habiter simultanément un même corps). Ce n'est qu'au moment de l'accouchement que l'âme pourra «aménager» sa nouvelle demeure et... le bébé fera alors entendre son premier cri.

> *Ce qu'il est important de comprendre à la suite de ce cheminement, dont nous n'avons effleuré que quelques aspects, c'est la présence de la Vie avant même que les parents décident d'avoir un enfant ainsi que le choix fait par l'âme de l'enfant quant à ses futurs parents.*

Lorsque la science tente en vain de déterminer le moment précis où l'embryon devient un être vivant et que la justice, de son côté, se sert de ses lois pour déterminer si un avortement doit être considéré ou non comme un acte meurtrier, je crois que n'ayant pas une vue assez large sur le sujet, ils se leurrent grandement. Le jour où la science découvrira la présence des corps subtils, l'existence de l'âme ainsi que le but véritable de tout cheminement terrestre, le débat prendra alors une toute autre orientation.

Lorsqu'on doit porter un jugement personnel sur l'avortement, il est très facile de se proclamer pour ou contre, mais c'est une tout autre question quand on accepte le fait que dans l'Univers, tout a une raison d'être, et que rien n'est laissé au hasard. Il est évident que la destruction d'un embryon est un acte aux conséquences graves qu'il ne faut pas prendre à la légère. L'avortement met fin à de longs mois de descente ardue de l'âme dans la matière et la retourne à la case «départ».

Par ailleurs, il est nécessaire de considérer que c'est l'âme qui a décidé de venir évoluer dans ces conditions et qui a choisi des parents qu'elle savait à «haut risque d'avortement»! Elle était bien consciente de ce risque, mais a tout de même décidé de tenter sa chance. Elle a pu, dans une vie antérieure, poser le même geste. Bien souvent, l'enfant à qui la mère enlève la vie a déjà été victime de cet acte dans une autre incarnation. Tout se tient dans le processus universel, tout est justice! Est-il alors possible pour nous pauvres humains, avec le peu de connaissances que nous possédons de juger d'un tel acte? Même des lois anti avortement ou pro-avortement ne peuvent régler ce problème. Seules la connaissance et l'assimilation du processus de matérialisation de l'âme permet à chacun de décider du geste qui doit être posé, et ce en toute connaissance de cause et dans l'acceptation des conséquences encourues à tous les niveaux.

On parle souvent du choix de la mère, mais s'est-on déjà attardé à celui de l'enfant? L'enfant qui a choisi des parents à «haut risque d'avortement» a accepté la possibilité de vivre cette aventure et quel que soit le dénouement de celle-ci, il en retirera une importante leçon, même si son expérience est brève. Lors de sa prochaine incarnation, cette entité fera preuve d'un grand respect de la vie à cause de cette expérience qui lui aura donné le désir profond de vivre. L'âme qui a décidé de prendre le risque de subir un avortement sait également que son éventuelle mère aura toujours le choix, et ce jusqu'au dernier moment, de lui laisser la vie. Dans ce cas, ce sera pour elle le plus beau cadeau qu'elle n'ait jamais reçu: la Vie!

L'avortement est un acte qui doit être longuement réfléchi et vu sous tous ses angles, physique et spirituel. Les parents qui recourent à cette solution doivent être conscients qu'ils auront un jour à revivre la même situation. Mais peut-être dans les rôles inverses. Ils auront à comprendre, à intégrer au plus profond de leur être l'importance de la vie, le cadeau le plus précieux qu'il soit permis à une âme de recevoir.

Pour ou contre l'avortement? Question sans réponse... sinon celle-ci: «Pour le libre choix en connaissant les conséquences qui en découlent» puisque, comme je l'ai dit précédemment, il n'existe rien de mal ou de bien sur cette terre. Tout n'est qu'expérience d'où chacun peut tirer une leçon. Ce qui rend une chose mauvaise ou bonne est simplement la conception qu'on s'en fait. Ce n'est sûrement pas avec des lois humaines qu'on rétablira l'harmonie, mais plutôt avec une plus grande connaissance des Lois divines ainsi que leur application dans notre quotidien.

De plus en plus, j'apprends à savourer la vie de toutes mes forces, car je considère que c'est le cadeau le plus merveilleux qu'on ne m'ait jamais fait. Je m'efforce continuellement de laisser les gens libres de choisir ce qui est bon pour eux.

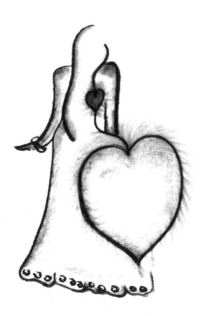

Tout amour semé, tôt ou tard donnera de belles fleurs.

Raoul Follereau

Après un échec tout n'est pas fini;
c'est un cycle qui commence en beauté.

Charles Beaudelaire

L'ignorance est la nuit de l'esprit,
mais une nuit sans lune ni étoiles.

Confucius

La main qui donne la rose en garde à jamais le parfum.

Henri Bernier

Chapitre 5

LES PRÉDICTIONS

*«Tout événement prédit
peut être modifié par le changement
d'attitude d'un seul homme.»*

Depuis des millénaires, l'homme a été constamment à la recherche de devins, de prophètes pour connaître son avenir. Nombre d'entre eux se sont même spécialisés dans ce domaine et y ont acquis une réputation qui dépasse encore aujourd'hui toutes les frontières. Le plus connu de ces prophètes est sans doute l'astrologue et médecin français né en 1503 nommé Nostradamus qui nous a laissé des prédictions pour des centaines d'années à venir. Certaines d'entre elles ont bouleversé le monde et continuent à le faire encore. Mais il semble que Nostradamus ait aussi donné envie à plusieurs de suivre sa trace... Nous n'avons qu'à ouvrir la radio, le téléviseur, les journaux à l'aube d'une nouvelle année pour que s'abatte sur nous une pluie de prédictions; les unes farfelues, empreintes de sensationnalisme, les autres, positives ou mortellement négatives. Ce dont nous ne nous doutons pas alors, c'est qu'à l'insu de notre conscience, celles-ci laissent souvent en nous des marques indélébiles!

Ces prédictions ont-elles une influence quelconque sur les événements à venir? Ne sont-elles que pures fabulations sans importance ni conséquences pour notre avenir? C'est ce que nous essaierons de voir dans ce chapitre.

Étant donné le pouvoir exceptionnel de la pensée, le désir de l'homme d'en savoir toujours un peu plus sur son avenir le pousse à modifier et même à provoquer les événements qui lui ont été prédits, s'il les accepte comme des vérités ne pouvant être changées. Par son ignorance de la force qui l'habite et qui peut tout, il attire très souvent vers lui des catastrophes parce qu'il les croit inévitables. Vous avez sûrement entendu parler dans votre entourage de personnes qui se sont fait prédire un accident et qui en ont eu tellement peur qu'ils l'ont effectivement attiré! Si nous remplaçons nos sentiments de peur par des attitudes beaucoup plus positives, nous pourrons alors changer la tournure des événements.

> *L'homme doit prendre conscience que tout peut être modifié, que rien dans l'Univers n'est immuable.*

Voilà une des grandes caractéristiques de l'ère du Verseau dans laquelle nous entrons actuellement. L'ère des Poissons que nous laissons graduellement, mais dont nous gardons tout de même des séquelles, était celle du matérialisme, du dogmatisme, des grandes religions. C'était une époque où l'homme devait suivre inlassablement son destin. Il était en quelque sorte l'esclave du plan de vie qu'il s'était fixé avant sa naissance sans tenir compte de la vitesse de croisière de son évolution. On disait alors que tel événement devait arriver à telle personne, à tel moment de sa vie; c'était «écrit dans le ciel» comme on se plaisait à le clamer, éliminant ainsi toute possibilité d'intervention dans le processus de sa destinée. L'homme n'avait ni le loisir ni la capacité spirituelle de modifier le cours de sa vie. Son libre choix ne se limitait qu'à sa façon positive ou négative de vivre ces différents événements. Par bonheur, cette période est maintenant révolue et tous ceux qui veulent bien faire partie de ce que certains appellent la nouvelle race peuvent le faire en acceptant de transcender leurs prétendues limites et en cherchant à aller aussi loin que leur cœur les entraîne.

Dans cette ère des Poissons, les prédictions sérieuses étaient très réalistes et vous le comprendrez bien, des plus dérangeantes. Nous avions toutes les raisons de craindre ces prédictions puisqu'on nous inculquait dès notre tendre enfance à croire en notre profonde incapacité à gérer notre propre vie et à changer le cours des choses. On n'a qu'à se rappeler avec quelle véhémence on nous défendait de regarder au delà des fameux... mystères, avec quelle rigueur on nous déconseillait de nous aventurer sur des avenues non «religieuses»... (Hors de l'Église point de salut!) Il était alors impensable d'oser se prendre en main et de défier le destin qu'avait dressé devant nous ce Dieu «vengeur» qui s'amusait à faire tomber sur les hommes toutes sortes de malédictions, seulement pour son bon plaisir, parce que c'était sa volonté et qu'on ne pouvait de toute façon rien y changer. Quel Dieu méchant nous demandait-on d'adorer! Un Dieu qui s'amusait à faire naître des enfants infirmes et à laisser des hommes s'entre-tuer dans des guerres interminables.

À la suite de ma démarche spirituelle, j'ai acquis la ferme conviction que Dieu est Amour et que tout ce qu'Il a créé est imprégné de cet Amour; c'est l'homme qui apporte la dysharmonie dans Sa création et qui crée son propre malheur. Aujourd'hui, il est grand temps de se réveiller, de constater la Puissance divine qui bouillonne à l'intérieur de nous et d'utiliser à bon escient notre possibilité d'intervenir dans le déroulement des événements au lieu d'attendre bêtement qu'un idiot fasse exploser la planète. Lorsque je parle d'intervention, je ne veux pas qu'elle soit armée, mais beaucoup plus subtile et durable. Je fais plutôt allusion à une élévation du niveau de nos pensées... et non de celles des autres; les nôtres avant tout!

Pour comprendre le sens véritable du mot «prédiction», il faudrait plutôt parler de «prévision». Je crois sans aucun doute qu'un prophète, un médium sérieux peut réellement **entrevoir la possibilité qu'un événement se produise.** C'est là toute la subtilité de la chose. En effet, un événement est «vu» comme potentiellement prévisible à condition que la mentalité ou le niveau de conscience des gens reste le même qu'au moment précis où la prédiction fut faite. En d'autres termes, si l'homme modifie sa façon d'agir entre le moment de la prédiction et celui de l'événement annoncé, ce dernier peut être considérablement diminué et même annulé. Parfois, on peut comprendre sans avoir à se casser le nez plusieurs fois à la même porte. Il serait plus simple de l'ouvrir! Ceci explique pourquoi de nombreuses catastrophes prédites sont passées presque inaperçues, le niveau de conscience de la planète s'étant élevé depuis, ce qui a eu pour effet d'amoindrir la gravité de l'événement en question.

Par exemple, si on prédit un grave accident d'automobile à une personne et qu'entre temps, celle-ci prend conscience qu'elle doit rester entièrement attentive à la conduite de son véhicule au lieu de laisser son corps s'occuper du volant et ses pensées la transporter à des centaines de kilomètres plus loin, l'accident en question peut se transformer en banal incident, ou peut être même tout simplement évité!

Un jour lorsque la science sera plus ouverte à ces phénomènes, elle découvrira une théorie qui affirme que le temps, tout comme l'espace, n'existe pas; ces deux principes étant infinis. Le passé, le présent, le futur se dérouleraient en même temps, sur des plans vibratoires différents. Évidemment, ce concept est en dehors de toute compréhension humaine à cause des limites actuelles de notre cerveau – dont nous n'utilisons d'ailleurs qu'un faible pourcentage – et des nombreux préjugés que nous y accumulons depuis des siècles. Il existe deux excellents volumes illustrant bien ce phénomène du temps et de l'espace infinis dans l'univers. Je me permets de vous les proposer à titre de références. Il s'agit de *Un pont sur l'infini* et *Un*, tous deux du même auteur, Richard Bach.[1] Quand on ouvre son esprit à cette théorie du temps infini dans l'univers, on comprend plus facilement le fonctionnement des mécanismes de la visualisation, de la programmation, du pouvoir d'intervention sur les événements futurs, et même passés!

Plus on ouvre notre conscience à ce phénomène de l'interdépendance du passé, du présent et du futur, plus on comprend cette vérité fondamentale.

---

1. *Un pont sur l'infini* est publié aux Éditions Flammarion et *Un* est paru aux Éditions Un monde différent.

> *Chaque homme bâtit à chaque instant son avenir,*
> *celui de la planète, celui de l'univers entier!*
> *Plus son niveau de conscience s'élève,*
> *plus les vibrations de son environnement augmentent*
> *et plus la terre s'harmonise, se «divinise».*

D'ailleurs, toute personne (astrologue, numérologue, ta-rologue ou autre) qui se veut le moindrement sérieuse, et qui utilise ses talents dans le but d'aider ses clients à évoluer leur dira toujours que les astres, les nombres, les cartes n'indiquent que des tendances, des dispositions pour que certains événements arrivent, qu'ils peuvent modifier à leur guise s'ils sont conscients de leur propre grandeur divine. Comme le hasard n'existe pas, on peut facilement comprendre que chaque événement (maladie, accident, etc.) s'accompagne d'un message. Si le message est compris avant que n'arrive l'événement en question, alors celui-ci n'a plus sa raison d'être.

Pour illustrer ce propos, je vous citerai l'exemple que nous a fourni un éminent physicien du nom de Patrick Drouot lors d'une conférence à laquelle j'ai eu l'occasion d'assister. Aux États-Unis, quelques années auparavant, ce chercheur avait réuni un groupe de personnes et, grâce à une technique très simple alliant relaxation et suggestion, il les avait transportés dans le futur, soit environ dans les 2010, si ma mémoire est bonne. Les images et les descriptions rapportées par chacun des participants à ce «voyage dans le temps» étaient terrifiantes. Tout n'était que désastre, décrépitude, misère! À la suite de cette expérience, Patrick Drouot avoua qu'un grand découragement s'empara de lui. Était-il encore utile et valable de chercher à s'améliorer en sachant que tout allait de toute façon s'écrouler dans peu de temps? Cette expérience lui laissa un goût amer durant une longue période. Ce n'est que de nombreuses années plus tard, une fois de retour en France, qu'il décida de répéter l'expérience, mais avec un tout nouveau groupe. Il «envoya» ce groupe de personnes exactement à la même époque. Il s'attendait à recueillir à leur retour les mêmes images de désolation. Mais à sa grande surprise, ce qui fut rapporté alors par les participants fut complètement différent. Les scènes étaient beaucoup plus harmonieuses, les hommes semblaient plus heureux, la terre plus belle...

Que s'était-il donc passé durant ce laps de temps pour que le tableau se modifie de cette façon? La réponse est très simple: le niveau de conscience de l'humanité avait changé. La hausse de spiritualité de la race humaine avait modifié l'avenir et avait provoqué un accroissement de l'harmonie sur terre. Mais, me direz-vous, ce qu'on voit dans les journaux ne reflète pas exactement une élévation de la spiritualité chez les gens! Détrompez-vous, ce qui est présenté par les médias n'est souvent que la partie sombre de l'humanité, celle qui se vend bien. L'homme qui sait ouvrir son esprit aux nouvelles connaissances spirituelles et «ésotériques», connaissances qui affluent actuellement sur notre planète, s'élèvera à des niveaux supérieurs et évoluera à une vitesse incroyable; l'époque que nous traversons actuellement étant propice à l'élévation spirituelle.

Évidemment, d'irréductibles conservateurs continueront à nier à haute voix l'existence de l'invisible et à ridiculiser ceux qui s'y intéressent. Mais s'ils parlent si fort, c'est pour crier leur détresse de n'y voir rien! Les gens heureux, imprégnés de sagesse et de lumière intérieure, ne font pas de bruit. Ils évoluent dans l'anonymat, essayant de faire grandir leur dieu intérieur. Ces chercheurs silencieux laissent de plus en plus émaner d'eux des vibrations d'Amour, changeant ainsi systématiquement le niveau de conscience autour d'eux.

Pendant ce temps, les loups se dévorent entre eux. Le sage n'a que faire de leurs disputes. Le cœur ne se bat jamais. C'est le dominant intellect qui, à grand coup d'orgueil, fomente la zizanie. Éloignons-nous de ces loups et continuons à nous élever sans prêter attention à la dysharmonie créée par les fauteurs de troubles. Quand nous serons assez nombreux à répandre cet Amour qui pourrait annihiler en une seconde les effets d'une bombe, tout deviendra Harmonie sur la terre... Ce n'est qu'à ce moment que commenceront les mille ans de paix. Il est essentiel de bien comprendre que nous bâtissons notre futur à chaque instant. Chaque pensée, chaque geste d'Amour, si petit soit-il, participe à l'élévation de la planète, et même de l'univers constamment en transformation.

Les prédictions devraient n'avoir qu'un seul but: faire réagir les gens et provoquer chez eux des gestes concrets leur permettant de gérer leur destinée.

Les prédictions sont des avertissements sérieux et doivent être considérées comme tels. Elles ne doivent en aucun cas inciter à la peur et à la panique, car ces sentiments attirent invariablement le malheur. Si on vous prédit une maladie, au lieu de vous morfondre sur votre sort et de vous voir déjà sur votre lit d'hôpital, profitez plutôt de cette prise de conscience pour chercher le message que cette «éventuelle» maladie veut vous transmettre. Surveillez votre alimentation et gardez le foyer de vos pensées, de plus en plus pur, soyez positifs et... dormez en paix!

Un jour, une «voyante» que j'avais consultée m'annonça sans crier gare la mort imminente d'un de mes grands amis. Selon elle, cet événement devait arriver dans la semaine qui suivait. Cet ami menait effectivement depuis un certain temps une vie mouvementée, brûlant comme on dit «la chandelle par les deux bouts». Je pris conscience que je mettais sur ses épaules beaucoup trop de pression. Je participais donc à l'état de surmenage et de stress dans lequel il se trouvait. Vous pouvez vous imaginer facilement le sentiment de panique et de désarroi qui m'envahit à la suite de cette «prédiction». Puis, à tête reposée, je me rendis compte que cet événement risquait fort de se produire si cet homme ne changeait pas son air d'aller et si moi, de mon côté, je continuais à le bousculer sans cesse. Je décidai donc de **passer à l'action** au lieu d'attendre passivement et stupidement le pire. Je lui conseillai donc fortement de restreindre ses activités et de faire attention à lui, particulièrement dans la période qu'il traversait alors. Il prit heureusement cet avertissement au sérieux et s'accorda du repos. Quant à moi, j'appris à être plus tolérant envers lui tout en découvrant la profondeur de l'amitié que j'éprouvais à son égard. Depuis lors, tout est rentré dans l'ordre. Le message a été entendu, des choses ont été entreprises pour éviter la dysharmonie, donc l'événement en question n'a plus sa raison d'être. Mon ami est toujours en parfaite santé et nos relations se sont grandement améliorées.

Cette prédiction aurait pu briser nos vies si elle avait été prise négativement et passivement. Les morts prédites sont souvent des morts intérieures précédant une grande renaissance. Il est donc important que tous ceux dont le travail est de prédire des choses en prennent réellement conscience. Si ceci n'est pas expliqué **clairement** à la personne qui reçoit la prédiction, un processus irréversible peut être alors enclenché et une mort physique peut être provoquée par les seuls sentiments de peur et de panique qui s'ensuivent. Une partie de la dette karmique reposera alors sur la personne à l'origine de cette situation.

La meilleure recommandation que je pourrais faire à celui ou celle qui désire obtenir des prédictions sur son avenir est de s'assurer de la luminosité intérieure de l'intervenant ainsi que de sa capacité à utiliser ses «dons» dans le but de favoriser la croissance personnelle de ses clients.

Je ne peux terminer ce chapitre sans vous répéter que l'homme d'aujourd'hui est **Maître de son destin**, qu'il prépare par son attitude le monde de demain. Nous nous devons de travailler sans répit à l'élévation de notre degré d'Amour et de Conscience universelle, d'appartenance à un tout indissociable qui s'appelle «humanité» afin de créer un futur qui sera rempli de cet Amour tant recherché.

À partir de maintenant, et de plus en plus, je vois en chaque être une parcelle divine à la recherche de sa propre vérité. Je laisse à chacun le loisir d'emprunter sa propre voie. Je fais preuve de plus en plus de tolérance et je respecte le choix de chacun.

Il faut encore se souvenir que chaque personne a son rôle
dans la société et dans l'histoire.

François Mauriac

L'avenir n'est pas ce qui va arriver,
il est ce que nous ferons.

Roger Garaudy

Votre destinée est donc le résultat de votre héritage
ancestral, de vos pensées et de vos actes.

Dr Victor Pauchet

À chaque seconde nous bâtissons notre éternité,
notre royaume.

Guy de Larigaudi

Par notre manière de penser et nos attitudes
nous construisons notre bonheur ou notre malheur.

Paul Verlaine

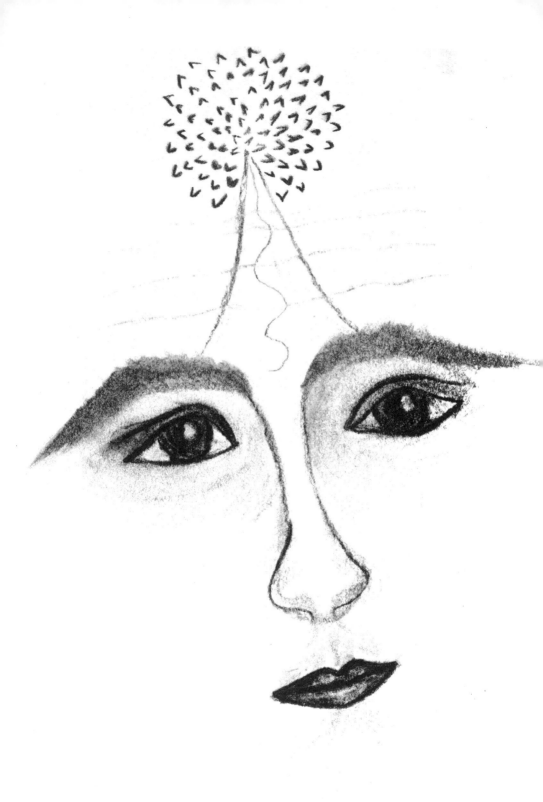

Chapitre 6

MÉDIUMNITÉ POUR TOUS

*«Tous les humains peuvent capter des
messages de l'invisible, mais peu d'entre
eux sont vraiment conscients de l'importance de se brancher au bon endroit.»*

On dit souvent que les pensées, tout comme les paroles,
s'envolent... Mais si c'est le cas, se perdent-elles dans l'univers ou ont-elles plutôt une influence quelconque sur notre
vie?

Considérons tout d'abord un principe qui est à la base de
toute démarche en ce domaine et qui dit que «la pensée crée».
La pensée humaine est à l'origine de tout objet, c'est-à-dire
qu'elle le matérialise dans le plan physique. Prenons l'exemple d'une table. Pour qu'elle soit construite, il a fallu qu'un
être humain en capte tout d'abord l'idée, qui «flottait» quelque part sur un autre niveau de vibrations, la décode et la
transpose sur le plan matériel par l'intermédiaire d'un cro-
quis, puis la matérialise en un produit fini, bien concret. Si on
admet ce principe, on peut facilement comprendre alors que
*l'homme est le seul canal par lequel toute idée doit passer
pour prendre forme sur le plan physique.* On peut concevoir
également que toute invention existe en vibrations sur un
autre plan, bien avant qu'elle ne soit captée par un esprit
humain et qu'elle soit inventée!

Quand on veut syntoniser une station de radio lointaine, il faut être très patient pour arriver à la position parfaite sur le cadran, celle qui nous donnera une réception claire, sans aucun parasite. Les personnes qui ont de la facilité à inventer des choses ont tout simplement la capacité de se brancher au bon endroit, au bon moment. Ce «don» souvent inné peut être expliqué entre autres par des expériences méditatives que certaines personnes auraient connues dans d'autres vies et qui ont encore une influence positive sur leur pouvoir de concentration et de communication avec des plans plus subtils. Tout ce que nous avons acquis intérieurement au cours d'existences antérieures reste à jamais imprégné en nous jusqu'à ce que nous en décidions autrement, c'est-à-dire jusqu'à ce que nous entreprenions un travail de reprogrammation.

On pourra alors aisément comprendre que plus les vibrations seront élevées, plus on aura de chances d'atteindre ces niveaux subtils, lumineux, «divins»; et plus les idées qui en découleront seront de cette nature. La relaxation, la méditation, la pratique de la pensée positive sont d'excellents moyens pour atteindre des niveaux de vibrations supérieurs.

Un beau jour, mon vieux sage me fit la mise en garde suivante: «*Garde pur le foyer de tes pensées.*» Je compris alors que si je voulais être un canal d'idées divines, je devais constamment surveiller mes états intérieurs et extérieurs. Ce canal présent en chaque homme peut facilement s'obstruer par l'accumulation de milliers de pensées qui y circulent chaque jour, souvent dans un indescriptible désordre. La pratique quotidienne de la méditation, de la relaxation ou de tout autre activité d'ouverture d'esprit a justement pour but de remettre de l'ordre dans ce fouillis infernal qui se bâtit continuellement dans notre tête.

Examinons maintenant le cas de personnes pratiquant la voyance, l'écriture automatique ou quelqu'autre travail nécessitant une communication avec d'autres plans. Si celles-ci ne prennent pas le temps d'élever suffisamment leurs vibrations avant de passer à la canalisation de renseignements «venus» de l'invisible, elles risquent fort de capter des messages et des idées des plans inférieurs (bas astral), où s'entassent toutes sortes d'esprits errants qui n'ont pas encore pu s'élever au-dessus du plan terrestre. Les renseignements captés de cet endroit peuvent être complètement ridicules en plus d'entraîner de graves malentendus chez la personne interprétant ces données. Il ne faut jamais «jouer» avec ces plans inférieurs, car ils peuvent causer beaucoup de torts à ceux qui croient avoir affaire à des esprits très évolués. Je me rappellerai toujours de cette merveilleuse scène dans le film de Stephen Spielberg intitulé *Pour toujours* (version française de *Always* où on apercevait un espèce de voyant un peu fou qui captait des données venues de l'au-delà, mais les rendait à son interlocuteur dans un fouillis indescriptible. On pouvait également voir ces «esprits» qui, à partir d'un autre plan, lui transmettait des messages d'une très grande importance et qui se «tirait les cheveux» en constatant de quelle façon ce médium quelque peu dément déformait leurs paroles. Ceci n'est qu'une image, évidemment, mais elle nous permet de comprendre pourquoi il est si important de nous assurer de la clarté d'esprit du voyant que nous voulons consulter.

LES LIENS FORMÉS PAR NOTRE PENSÉE

Nous avons vu jusqu'ici que la pensée était à l'origine de toute création dans le domaine visible. Eh bien, celle-ci exécute exactement le même travail dans le monde invisible. Quand je pense à quelque chose, mon esprit le transforme immédiatement en «forme-pensée». Autrement dit, la pensée se *matérialisera* toujours dans l'invisible et c'est alors qu'elle se mettra à voyager et à établir des liens entre les êtres.

Prenons un exemple: Pierre se met à parler de Paul en ces termes peu élogieux: «Paul est un imbécile et je le déteste.» Regardons ce qui se passe dans le plan subtil à ce moment-là. Aussitôt que le nom de Paul est prononcé ou même tout simplement pensé, une partie de son énergie sera attirée vers l'origine de la pensée, en l'occurrence aux côtés de Pierre. L'énergie de Paul captera alors tout ce qui sera dit à son sujet. Quand la conversation sera close, cette partie énergétique de Paul retournera vers son corps physique. Au moment où

Pierre déblatère contre Paul, il se peut que ce dernier éprouve un léger malaise, qu'il perçoive par exemple un bruit aigu dans ses oreilles. Il se peut également qu'il ne ressente rien du tout, selon son état émotionnel du moment. Mais, inconsciemment, il portera le fardeau des paroles et des pensées négatives que Pierre a laissé échapper, de sorte que lorsqu'il se rencontreront, ils éprouveront un certain malaise l'un envers l'autre sans trop savoir pourquoi, et souvent ils chercheront à s'éviter.

Par contre, si Pierre dit de Paul qu'il est un homme extraordinaire, ce dernier en ressentira également tous les effets positifs et ne s'en portera que mieux. Vous comprendrez donc qu'il faut être très vigilant sur la façon dont on parle des autres. Bien sûr, nous ne pouvons pas être toujours élogieux envers certaines personnes, mais il existe une manière très concrète d'annihiler les effets négatifs de nos pensées chez la personne concernée. Il s'agit tout simplement de terminer toute conversation au cours de laquelle nous avons parlé, à tort ou à raison, de ses défauts par l'énumération de quelques-unes de ses qualités. Par exemple, Pierre peut dire de Paul qu'il a agit en idiot dans telle situation, mais finir son intervention en ajoutant qu'il est quand même un homme très intègre et généreux. Les effets négatifs du début de sa conversation seront alors contrecarrés par les commentaires positifs de la fin. Cette pratique peut paraître un peu ardue au début, mais elle en vaut vraiment la peine. Elle améliore de beaucoup la sincérité dans la communication et nous entraîne vers une tolérance de plus en plus éclairée.

À la lumière de ce que je viens d'expliquer, vous pouvez maintenant imaginer tous les liens qui se forment au cours de nos assemblées politiques où paroles et pensées sont projetées ici et là sans aucun discernement ni respect, et dans la plus grande ignorance de ces lois. J'avoue très sincèrement ne pas envier la charge karmique accumulée par certains de nos dirigeants pour des vies et des vies à venir!

Il est dès lors très facile de saisir l'importance de la pratique quotidienne de la pensée positive. Celle-ci est la base fondamentale de toute élévation spirituelle et elle est essentielle à toute initiation donnant accès à un niveau de conscience plus élevée.

LES ANNALES AKASHIQUES

Chacune de nos pensées est enregistrée dans une sorte de «banque de données» appelée notamment les **annales akashiques**. Cette prodigieuse mémoire de l'univers contient en détail tout ce qui existe sur terre; des minéraux jusqu'aux humains, en passant par les règnes végétal et animal. Chacune des pensées de l'homme y est enregistrée, et ce de façon indélébile. On dit souvent qu'à notre mort, nous voyons défiler devant nous, et à une vitesse vertigineuse, le film détaillé de notre vie. Ceci est fait dans le but de nous faire prendre conscience de l'effet de chacune de nos pensées et actions, et ce dans leurs moindres détails, à la suite de quoi nous devons nous pardonner nos «erreurs» avant d'entrer finalement au paradis. Ce visionnement serait, dit-on, tiré de ces annales akashiques.

Quelques rares personnes, ayant un niveau de conscience particulièrement élevé ou une mission précise à remplir, peuvent avoir accès à ces mémoires afin d'y recueillir des renseignements pouvant aider certains humains dans leur développement spirituel. C'est ce qui est arrivé à deux personnes que j'estime beaucoup, Anne et Daniel Meurois-Givaudan, avant d'écrire leur livre intitulé *De mémoire d'Esséniens, l'autre visage de Jésus*[1]. Au cours de deux ans de voyages astraux (ou de décorporation si vous préférez), les auteurs ont eu accès aux annales akashiques afin d'y ramener les détails de la vie de Jésus telle qu'elle se serait réellement déroulée. On peut y retrouver le récit, jusqu'ici caché, de sa jeunesse, de son éducation avec les Grands Maîtres, de sa vie publique, de l'accomplissement de sa mission, de son cheminement vers la perfection, etc.

---

1. Anne et Daniel Meurois-Givaudan, *De mémoire d'Esséniens*, Éditions Arista.

L'existence depuis le début des temps de cette mémoire universelle explique très clairement pourquoi on dit que rien ni personne ne peut échapper à la Justice divine! Aucune pensée, aucune action ne peut rester sans effets, qu'elles soient positives ou négatives. Tout dans notre vie a une répercussion sur notre futur propre et sur celui des autres. Nous ne sommes qu'Un, tous différents les uns des autres, mais faisant partie d'un seul et unique Tout. Nous sommes tous des parties divines interreliées continuellement les unes aux autres. L'élévation d'une âme participe donc de fait à l'élévation de l'humanité, et vice versa.

Les pensées que nous captons ou que nous émettons ont un effet sur notre entourage. De là l'importance de tout faire pour maintenir notre canal intérieur propre et disponible à tout message divin.

À partir de maintenant, et de plus en plus, je demande à mes guides de ne laisser entrer en moi que des pensées et des messages issus des régions les plus élevées. Je me maintiens dans la Lumière afin de n'attirer que la Lumière.

Regardez toujours en direction du soleil et vous ne verrez jamais d'ombre derrière vous.

André Chénier

Chapitre 7

LES ÉGRÉGORES DE PENSÉES

«Une des préoccupations quotidiennes
du sage est de garder pur le foyer
de ses pensées.»

Nous avons vu dans le chapitre précédent que nous étions en quelque sorte des canaux par lesquels l'invisible s'exprimait de diverses façons. Nous en avons également conclu que chaque pensée avait ses conséquences propres. C'est ce dernier point que nous allons maintenant étudier en jetant un coup d'œil sur les **égrégores de pensées.**

On peut les définir comme la réunion de toutes les pensées de même nature, regroupées par affinité. Celles-ci forment en quelque sorte un immense «ballon» appelé égrégore. Ainsi, toutes les pensées de violence créées par chaque être se regroupent continuellement dans ce qu'on pourrait qualifier de gros nuage grisâtre flottant au-dessus de la terre. Aussitôt qu'un être émet des idées d'agressivité, il se connecte à l'égrégore contenant les pensées de même nature et s'en nourrit, ce qui a pour effet d'augmenter à son insu les sentiments de violence qui montent en lui. Plus la personne sera perturbée par ses émotions, plus elle laissera pénétrer en elle des vibrations de violence, émises par la pensée et le comportement de chaque humain concerné.

Prenons l'exemple d'un voleur entrant dans une banque pour y commettre un vol. Il a en sa possession une arme, mais il n'a nullement l'intention de s'en servir. Il souhaite simplement que cette arme demeure un moyen d'intimidation. Mais, durant l'accomplissement de son forfait, des sentiments de violence s'emparent de lui et ses émotions de plus en plus perturbées prennent le dessus. Étant alors dans des vibrations de rage de plus en plus fortes, il entre en contact avec cet égrégore de violence et laisse entrer en lui «par la grande porte» les pensées qui la composent. Il s'en nourrit et l'agressivité monte davantage en lui. Tout d'un coup, sans qu'il ne s'en rende vraiment compte, le vase déborde, tout explose, il prend son arme et tire sans trop savoir pourquoi!

Un autre excellent exemple nous est servi par cet homme qui, à la suite d'une bagarre, avait assené à son opposant de nombreux coups de couteaux. Le lendemain, il ne se rappelait que du premier coup, les autres ayant dépassé complètement sa conscience. Cet homme, dont les émotions étaient alors perturbées par les effets de la drogue ainsi que par des circonstances personnelles très contrariantes, s'était nourri en un instant de tous les sentiments de rage, de vengeance, d'animosité de l'humanité entière pour exécuter un crime dont il n'a même pas eu pleine conscience. Les gens qui vivent de telles expériences disent souvent par la suite: «Je ne sais pas ce qui m'a pris, **c'était plus fort que moi!**» L'abus des drogues, des médicaments, de la boisson rendent l'homme très sensible à ces égrégores, puisque ces substances laissent les «portes émotionnelles» sans gardien. Un homme ayant consommé de la drogue est fréquemment «hors de son corps» et se promène dans le bas astral, où se trouvent justement les égrégores de pensées négatives. Étant à leur niveau, il est très facile pour lui de capter ces vibrations. Si nous nous tenons dans des régions élevées, nous serons nourris de pensées élevées. Restons dans des régions basses et nous serons vite gavés de pensées du même genre!

Prenons un autre exemple. Michel a des idées suicidaires. Il est découragé, dépressif, et il voit sans cesse la vie de façon négative. Il contribue durant cette période, et à son insu, à grossir un égrégore de pensées suicidaires. Mais quelques semaines plus tard, il s'en sort et retrouve l'harmonie. Puis, c'est au tour d'Éric d'être dans le creux de la dépression; rien ne semble pouvoir le sauver. Il pense alors très sérieusement au suicide. Il se connecte donc à cet égrégore que Michel et tous les autres êtres dépressifs et négatifs de la terre ont «gonflé». Il entre en contact avec ses pensées suicidaires qui, à cause de la faiblesse créée par ses émotions, le poussent finalement à passer à l'action, son système de défense naturel étant trop faible à cet instant pour résister à la suggestion qui lui est faite. On peut donc dire que Michel a été d'une certaine façon responsable du suicide d'Éric.

Tout ceci ne doit pas servir à faire monter en nous des sentiments de culpabilité, mais plutôt à nous permettre de constater notre degré de responsabilité envers l'humanité. Nous devons prendre conscience que par chacune de nos pensées, nous sommes responsables de tout ce qui se passe sur terre. Par chacune d'elles, nous nourrissons un égrégore quelconque, qu'il soit positif ou négatif. Par nos constantes pensées de mécontentement, de colère, d'agressivité, d'intolérance, nous participons à l'élaboration de toutes les guerres, de tous les mouvements violents qui déferlent sur la terre. Quand nous haïssons quelque chose ou quelqu'un, nous nourrissons en même temps tous les sentiments de haine existant sur la planète. En agissant ainsi, c'est d'abord à nous-mêmes que nous faisons du tort. C'est dans cette optique que le Grand Maître Jésus nous demandait **d'aimer nos ennemis**. Personne ne semble avoir compris le véritable sens des paroles de ce Grand Initié. Quand nous haïssons nos ennemis, nous attisons nous-mêmes notre propre haine. Ces sentiments d'aversion que nous entretenons envers nos ennemis ne font que nous ronger de l'intérieur. Nous devenons semblable à une pomme dont la pelure serait toute reluisante à l'extérieur, mais qui développerait des vers en son centre. Nous ne pourrions y détecter la pourriture qui s'y développe qu'en regardant sous sa «carapace», en son cœur. Les scientifiques s'entendent pour dire qu'une haine longtemps refoulée peut être à l'origine de beaucoup de maladies, entre autres de certains cancers. Quand les symptômes apparaissent à l'extérieur, il est souvent trop tard. Nourrir et se nourrir des égrégores de violence ne peut qu'entraîner la dysharmonie du corps!

Mais il n'y a heureusement pas que des égrégores de pensées négatives. Il existe aussi des égrégores d'amour, de douceur, d'honnêteté, de tolérance, etc. Ce sont ceux que nous «gonflons» à l'occasion de nos prières, de nos méditations et de nos actes de charité. Quand un groupe se réunit pour méditer, la somme des pensées de Paix, d'Amour et d'Harmonie qui se dégage d'eux se décuple et participe à l'accroissement de l'égrégore mondial de Lumière, dont la terre a tellement besoin à l'heure actuelle. On a souvent parlé de la Communion des Saints. Celle-ci est plus simple à comprendre qu'on nous l'a laissé croire jadis! Il s'agit tout simplement d'une force extraordinaire émanant de la réunion de personnes qui, dans un but commun d'élévation spirituelle prient, méditent **ensemble**. Quand deux personnes ou plus, ayant un certain niveau de spiritualité et d'Amour, conjuguent leurs efforts de prières et de méditation, elles multiplient alors les effets de celles-ci. Les groupes de méditation qui œuvrent ça et là et qui sont mûs par un désir sincère d'aider les humains à s'élever peuvent être considérés comme faisant alors partie de cette Communion des Saints. Il est tellement enrichissant de tenter de démystifier ces grandes vérités, rendues hélas inaccessibles par les explications si compliquées de certaines religions ou de certains intellectuels, pour en retrouver enfin la simplicité. Redevenir comme des enfants, c'est peut-être cela!

Lors d'une conférence à laquelle j'assistais, Anne et Daniel Meurois-Givaudan, dont nous avons parlé précédemment, expliquaient que par projection astrale, ils s'étaient un jour déplacés à une distance assez éloignée de la terre, de façon à la voir dans sa totalité. Ils virent notre bonne vieille planète entourée d'un immense nuage grisâtre. L'aura de la terre avait perdu tout son éclat. Le guide de Lumière qui les accompagnait leur expliqua alors que cette «robe», dont s'était revêtue la terre, était tissée de toutes les pensées négatives émises par ses habitants. Mais, ajoutèrent-ils, ça et là nous vîmes de petites sphères bleues très lumineuses qui grandissaient peu à peu et dissipaient par endroit ce vêtement terne. Ces sphères étaient constituées des pensées de Paix des gens qui priaient et méditaient à la surface du globe!

La méditation en groupe est donc une façon efficace de redonner à la terre son habit de Lumière originel. Cette dernière a besoin de beaucoup d'amour. Plus ses habitants comprendront l'importance capitale de garder pur le foyer de leurs pensées, plus l'égrégore de Paix prendra de l'envergure et annihilera par le fait même la violence de plus en plus omniprésente.

Comment peut-on se servir de façon concrète des égrégores positifs dans notre vie quotidienne?

Il existe une variété infinie d'égrégores de pensées, aussi nombreux que les pensées elles-mêmes. Alors, lorsque nous avons l'intention d'effectuer le plus correctement possible un travail précis, il s'agit tout simplement de nous lier aux égrégores qui faciliteront l'accomplissement de cette tâche et notre intuition établira un relais entre l'égrégore et nous-même. Comment établir ce lien? Par la simple pensée ou en disant: «Je me connecte à l'égrégore formé par les pensées qui m'aideront à exécuter ce travail de façon parfaite.»

Prenons un exemple concret. Un jour que je disputais une partie de tennis avec un copain, je me mis à jouer horriblement mal et à manquer coups par-dessus coups. Plus la partie avançait, plus mon caractère s'aigrissait, et j'étais prêt à «perdre les pédales», comme on dit. Je me fis la réflexion qu'il était peut-être temps de mettre en application ce que j'enseignais depuis des années. L'idée me vint donc de me «connecter» à l'égrégore formé par les pensées d'accomplissement et de perfection des meilleurs joueurs de tennis de tous les temps. Je me mis aussitôt dans la peau d'un as du tennis et je sentis un grand calme m'envahir. Puis, je me surpris à jouer avec beaucoup plus d'assurance et de détermination. Quand je ratais un coup, une petite voix intérieure me disait: «Un excellent joueur de tennis accepte de faire des erreurs et vit chaque instant et chaque coup au présent.» Le calme, la tolérance et la confiance s'installaient peu à peu en moi. Il en fut ainsi tant et aussi longtemps que je restai en contact avec cet égrégore. Lorsque je redevenais moi-même, je coupais le lien avec l'égrégore en question. Mon *ego* prenait le dessus, n'acceptant pas son imperfection.

Je devais donc constamment me rappeler à l'ordre et me contenter d'**être** un excellent joueur de tennis, en laissant mon mental, qui voulait tout analyser et compliquer, hors de tout ça... sur le banc des spectateurs.

Nous pouvons tenter de telles expériences à tout moment de notre vie. Une secrétaire qui doit exécuter un travail impeccable peut très facilement se connecter par la pensée, et en un instant, à l'égrégore formé par les excellentes performances des secrétaires les plus professionnelles du monde entier. Elle n'a alors qu'à se prendre pour la meilleure secrétaire pour que s'opère en elle des changements étonnants.

Vous avez besoin de courage pour traverser une épreuve? Connectez-vous aux égrégores de Paix et de Confiance en Soi formés par les gens qui ont vécu les mêmes tourments que vous vivez à cet instant précis et qui s'en sont sortis rapidement, facilement et plus confiants. Puis, cessez de mettre de la pression sur vos épaules. Restez le plus longtemps possible dans cet état et vous en ressentirez les bienfaits immédiats. Je pourrais vous donner des milliers d'exemples de ce genre, mais je crois que vous êtes maintenant tout aussi en mesure que moi de les découvrir par vous-même.

Je vous suggère fortement d'avoir la sagesse de ne pas croire aveuglément en tout cela! Faites plutôt des expériences sur une certaine période de temps avant de porter un jugement. Il devrait en être ainsi de toutes les «croyances», de tous les «trucs» qu'on vous propose. Seule l'expérience compte, de même que le degré de bonheur intérieur ressenti. Il est également très bénéfique de nous lier tous les matins aux égrégores de Sagesse, afin de trouver des solutions harmonieuses aux problèmes qui se présenteront à nous durant la journée. Pourquoi ne pas profiter de ce moment matinal privilégié pour façonner par la pensée une sphère que nous remplirons de Paix, d'Amour et d'Harmonie et que nous projetterons ensuite tout autour de notre bonne vieille mère la Terre, afin que se dissipent à tout jamais les nuages gris formés par l'ignorance des humains face aux Grandes Lois cosmiques.

Gardons en toute occasion notre pensée centrée le plus possible sur le Divin, afin qu'Il illumine chaque situation de notre vie et nous procure Compréhension, Connaissance et Bonheur.

À partir de maintenant, et de plus en plus, je prends conscience de toutes les pensées négatives que je laisse échapper de moi et je les annule aussitôt par des pensées positives. Je demande à mes guides de m'assister dans ce travail. J'accepte les erreurs et j'ai la sagesse d'en tirer des leçons. Je m'améliore de jour en jour en gardant pur le foyer de mes pensées.

Vos actes sont l'expression de vos pensées,
de votre moi intime.

Dr Victor Pauchet

La prière, comme le radium,
est une source d'énergie lumineuse.

Dr Alexis Carrel

Pour qui sait les recueillir et s'en nourrir,
il y a des pensées qui sont sources de vie.

A. Valentin

Chapitre 8

LA MÉDITATION SIMPLIFIÉE

*«La méditation est la communion du
corps, de l'âme et de l'esprit.»*

Méditer. Voilà un mot qu'il me semble vraiment important de démystifier en ces temps où l'homme a tellement de facilité... à tout compliquer! La méditation est une pratique qui se veut très personnelle. En effet, il peut exister autant de façons de méditer qu'il y a de gens sur la terre. Il serait donc presque impossible de déterminer une forme de méditation idéale et commune à tous. Mais il existe tout de même un principe de base universel auquel adhèrent la plupart des fervents de la méditation. Ce principe a pour but l'élévation du corps vers l'âme, puis vers l'esprit (le vrai Moi). La communion avec l'esprit devient donc l'objectif visé de toute méditation.

Mais quel est donc au juste cet esprit vers lequel nous tendons? Quels sont les motifs pour lesquels nous devrions entreprendre cette démarche? L'esprit est cette partie divine d'où nous sommes tous issus. C'est lui qui nous guide tout au cours de notre vie vers les personnes aptes à nous faire avancer sur le chemin de l'évolution. C'est également lui qui nous attire les événements grâce auxquels nous pourrons gravir un échelon de plus vers la perfection. L'esprit est cette lumière, cette étincelle divine qui, à notre première incarnation, s'est détachée du Tout Divin pour venir expérimenter, conscientiser sa divinité à travers un corps humain. C'est également en cet esprit que nous nous fondons à la suite de chacun de nos voyages terrestres. L'**esprit** est notre **vrai moi**, tandis que notre identité physique est notre *ego*. Même s'il sait tout, l'esprit, étant d'origine divine, doit néanmoins expérimenter cette perfection qui est innée en lui, intégrer toutes les qualités, dont il est inconsciemment imprégné, pour les rendre conscientes une à une. Telle expérimentation ne peut se faire qu'à l'aide d'un corps physique, et c'est pourquoi l'esprit s'incarnera tant et aussi longtemps qu'il n'aura pas vécu toutes les situations et tous les comportements lui permettant d'atteindre la perfection pour continuer son ascension vers un niveau d'évolution supérieur.

L'esprit est donc notre véritable guide intérieur, notre port d'attache, notre «Monsieur-Sait-Tout». C'est vers lui que nous devons nous élever quand vient le temps de puiser les renseignements dont nous avons besoin tout au long de notre cheminement terrestre. Mais comme l'esprit se trouve sur des plans de conscience très élevés, nous ne pouvons le toucher qu'en élevant nos propres vibrations à **son** niveau. Ce n'est pas à l'esprit de descendre vers nous, mais plutôt à nous de monter vers lui. Tel est le but de la méditation, **élever nos vibrations au niveau de notre esprit!**

C'est un peu comme si notre corps était au bas d'une montagne et notre esprit au sommet. Pour le rejoindre, il suffit d'escalader cette montagne. Une fois l'ascension terminée, nous pourrons nous reposer à l'air pur et entrer en contact avec notre étincelle divine. Une des techniques d'escalade est la méditation.

On parle beaucoup du corps et de l'esprit, mais qu'advient-il de l'âme? Elle est tout simplement le lien permanent entre le corps et l'esprit. Elle est l'intermédiaire, le messager entre notre partie physique et notre étincelle divine, entre notre *ego* et notre vrai Moi.

Rappelons-nous brièvement ce qui se passe lors de la première incarnation de l'esprit dans la matière, à la suite de son détachement du Tout Divin. (Vous trouverez ce processus clairement expliqué dans mon livre intitulé *Sur la voie de la sagesse*, au chapitre 7, *La mort et la réincarnation*.) L'esprit donne naissance tout d'abord à une âme qui, à son tour, continue inlassablement sa descente dans la matière jusqu'à sa matérialisation dans un corps physique. C'est peut-être ce que certains appellent la véritable... descente aux enfers! Au terme de son premier voyage terrestre, quand le corps est trop usé pour continuer la route et ne peut répondre aux besoins du «conducteur», l'âme se détache alors de sa partie physique et s'en va retrouver son esprit dans ce paradis tant rêvé. Puis, aussitôt que son désir d'évolution la poussera à s'incarner à nouveau, l'âme empruntera un autre véhicule, après avoir pris soin d'établir auparavant un plan de route approprié ainsi que des buts à atteindre ou à dépasser, pour enfin retourner courageusement... au travail sur le plan terrestre. Ainsi va la vie depuis des millénaires, pour chacun d'entre nous.

Nous pourrions donc situer l'âme comme chevauchant à mi-chemin entre le sommet et le pied de la montagne. Nous sommes toujours en contact avec notre âme, mais pas toujours avec notre esprit. Ce dernier lien dépend en majeure partie de notre état d'être. Plus nous sommes heureux et serein, plus nous nous approchons de notre Maître intérieur, l'esprit. Les Grands Sages font un avec leur âme et leur esprit. Les passions humaines ne les touchent plus. Si une question se pose à eux, la réponse surgit immédiatement! Cet état de sagesse et de méditation continuel est celui auquel il faut tendre tout au long de notre recherche de la perfection. Mais comme tout cheminement se fait à travers nos expériences, il est donc facilement compréhensible qu'on doive gravir la montagne tous les jours, et chaque fois de plus en plus haut. Même si on n'atteint pas le sommet au premier essai, cela n'a aucune importance. Ce n'est qu'en empruntant quotidiennement le sentier qui mène vers la cime, en le «débroussaillant» mètre par mètre, en s'imprégnant des beautés qui le jonchent qu'on finira par en connaître tous les secrets.

La méditation consiste en un premier temps à escalader cette montagne. Sa base est notre plan physique, matériel, tandis que son sommet est celui où se situe notre esprit. Quand on réussit à atteindre ce dernier, on peut s'y reposer, s'y instruire, y rencontrer même d'autres «êtres», etc.

L'alpiniste n'a généralement pas atteint les plus hauts sommets à sa première tentative, mais seulement après avoir passé à travers différentes étapes. Il a d'abord suivi des cours afin d'apprendre les rudiments de cette discipline. Puis, il a dû mettre en pratique la théorie apprise. Dans son désir de se perfectionner, il s'est mis à escalader des pics de plus en plus abrupts, et ce le plus souvent possible. Il a généralement en tête un but précis, celui d'aller toujours plus haut. Plus il atteint des sommets élevés, plus il est satisfait et heureux de sa performance, plus il en retire des bénéfices intérieurs inexplicables, dont lui seul peut estimer la valeur réelle. Plus il se sent libre, plus il devient maître de sa destinée. Après un certain temps, quand il a pris un peu d'expérience, il peut commencer à développer ses propres techniques d'escalade à partir des bases qui lui ont été enseignées. Plus il pratique, plus il se raffine, plus il monte facilement, sans forcer, en dépensant de moins en moins d'énergie. Un jour, s'il a suffisamment persévéré dans sa démarche, il devient maître en son domaine et il peut alors vraiment récolter les fruits de son «travail».

Lors d'un voyage effectué en Afrique il y a quelques années, j'eus la chance d'escalader avec un groupe d'Européens et d'Américains le mont Kilimandjaro en Tanzanie. Cette montagne haute de 5 963 mètres se situe tout près de l'équateur. Sa base baigne dans une chaleur torride, tandis que son sommet est recouvert de neiges éternelles. Accompagné d'un guide africain, nous nous mîmes en route un beau matin sans tenir compte de ses consignes. Il nous avait bien précisé: «Sachez garder toujours le même rythme tout au long de votre périple, qui durera plusieurs jours, et ce quelle que soit la pente du terrain.» Mais moi, je n'avais que faire de ses conseils! Faisant la sourde oreille, j'accélérais allégrement le pas quand le terrain était plutôt plat, ce qui avait pour effet de me faire «tirer la langue» dans les montées plus abruptes. Après quelques heures, j'étais complètement vidé et on dut même me porter durant plusieurs kilomètres, jusqu'au premier relais où je m'effondrai épuisé.

Le lendemain, me rappelant mon expérience de la veille, je repris mon escalade, mais tranquillement cette fois-ci, toujours au même rythme, comme l'avait recommandé mon guide, maître en son domaine. Ainsi, tout au long du voyage, mon corps s'habitua au surplus d'effort que je lui demandais et au changement d'attitude auquel je le soumettais. Ceux qui n'avaient pas suivi la consigne du début durent s'arrêter en cours de route et attendre que nous les reprenions à notre retour. Leur empressement à atteindre le sommet les avait complètement épuisés. À une certaine altitude, le manque d'air rendait difficile la respiration et le fonctionnement du corps de ceux qui avaient voulu aller trop vite dans leur ascension. Maux de têtes, diarrhées, étourdissements furent leur lot tandis que les autres, dont j'eus le bonheur de faire partie, réussirent à se rendre jusqu'au plus haut sommet, le Gilman's Point. Notre discipline ainsi que notre persévérance nous permirent d'assister au plus beau spectacle qui puisse être donné de voir, un simple lever de soleil au-dessus d'une couche de nuages flottant à quelques centaines de mètres plus bas, et ce sur une des plus hautes montagnes du monde. Nous sommes restés là un long moment, ne disant mot, ne pensant rien. Nous étions, tout simplement. Nous méditions alors sans le savoir dans une dimension beaucoup plus élevée, difficile à atteindre et réservée à quelques irréductibles chercheurs d'une paix indescriptible.

Il en est exactement ainsi de la méditation. Il est nécessaire d'apprendre et de maîtriser certaines techniques de base nous permettant une ascension constante et sûre. Quelle que soit la méthode de méditation utilisée, il s'agit de choisir celle avec laquelle on se sent le plus parfaitement à l'aise. Plus on avance, plus on aura de la facilité à monter, et plus on devra éviter le piège de vouloir rester trop longtemps au sommet de la montagne au lieu de revenir au bas pour effectuer le travail pour lequel on s'est incarné.

La méditation permet de rejoindre notre partie divine, notre vrai Moi, et d'y puiser la Paix qu'elle dégage de même que les renseignements dont nous avons besoin pour réussir notre vie matérielle et spirituelle. Il est donc important de redescendre au bas de la montagne, car c'est là qu'il faut vivre, les deux pieds sur terre et non la tête dans les nuages. La méditation deviendra un moyen d'escalader la montagne à tout moment, le plus aisément et le plus rapidement possible. Elle ne doit jamais devenir un refuge permanent, une fuite de la réalité. Elle est un moyen, non une fin!

Lorsque les bases de notre démarche seront bien établies, nous pourrons alors choisir d'autres méthodes qui nous conviendront mieux pour faciliter nos escalades. Aucun homme n'est semblable à ses frères et c'est pourquoi il existe autant de façon de méditer qu'il y a d'humains sur cette terre. Après avoir eu la sagesse de se laisser guider, au tout début de ses expériences de méditation, chacun peut par la suite développer sa propre manière de méditer. Seul le désir de puiser à sa Source, d'y trouver réconfort et réponses à ses questions doit motiver celui qui médite. La méditation deviendra alors une expérience personnelle des plus enrichissantes, pouvant être pratiquée en tout temps, en marchant dans un endroit calme, à l'occasion d'une relaxation, en exécutant un travail dans lequel on met tout son cœur... En un instant, nous pourrons franchir ce sentier défriché mètre par mètre. Au bout de celui-ci, nous pourrons récolter, souvent à notre insu, la force de notre esprit, la sagesse de notre partie divine. Nous ferons alors un avec ce Dieu qui a été depuis longtemps placé hors de notre vie. Cet état de méditation deviendra de plus en plus naturel et imprégné en nous. Après un certain temps, nous serons uni avec notre esprit. Nous n'aurons plus besoin de monter vers l'esprit, car à l'image des Grands Sages nous vivrons constamment au niveau de ses vibrations. Quand nous serons devenu Lumière et Amour dans notre vie quotidienne, nous ferons corps avec l'esprit divin qui est de cette même essence. Nous ne serons plus séparé de notre partie divine. La montagne deviendra plaine et nous y régnerons en maître absolu.

Comme vous pouvez le constater, la méditation est une affaire personnelle. On l'a affublée de maintes épithètes à travers les âges: prière, relaxation, visualisation, respiration dirigée, etc. La seule chose qui importe est ce vers quoi elle mène et la raison pour laquelle elle est pratiquée. Certains ont pour but ultime de pratiquer la lévitation, de vivre une expérience extra-corporelle... Chimères! Si ce sont les seuls aspects recherchés, je pense que la méditation ne vaut pas la peine d'être exercée. Ce n'est alors que l'*ego* qui veut se valoriser par l'atteinte d'un niveau supérieur. Le but de la méditation doit être simplement l'**union avec le divin** pour une meilleure qualité de vie sur terre, sur les plans matériel et spirituel. Méditons, prions, aimons... Peu importe la méthode utilisée, tentons tout simplement d'établir le contact avec notre vrai Moi et d'y puiser la Paix et la Connaissance nous permettant de comprendre ce qui se passe à l'intérieur et à l'extérieur de nous. Avec de la pratique (quelques minutes par jour suffisent au début) et un désir constant de monter et de redescendre le moment voulu pour assumer pleinement notre vie terrestre, la méditation deviendra un acte tout aussi simple et naturel que de se lever le matin ou de se brosser les dents après chaque repas!

Pour ceux et celles qui veulent expérimenter la méditation, je vous propose ici un exercice très simple. Étendez-vous ou asseyez-vous, le dos bien droit, dans un endroit où vous ne serez pas dérangé. Débranchez le téléphone...! Demandez l'aide d'un guide de lumière afin qu'il vous accompagne tout au long de votre voyage. Prenez trois respirations lentes et profondes en vous concentrant, sans forcer, sur l'air qui vous entre dans les narines, qui vous gonfle tout d'abord le ventre, puis le thorax, tout le haut du corps jusqu'à l'intérieur du crâne. Gardez l'air quelques instants en vous pour permettre au «prâna» (l'énergie vitale contenue dans l'air), d'envahir votre corps et relâchez lentement en ressentant bien l'air qui sort de vos narines. Ensuite, décontractez un à un tous les muscles de votre corps. Prenez le temps qu'il faut. Maintenant, visualisez une montagne au sommet de laquelle brille une forte lumière. Commencez à gravir la montagne à votre rythme, en admirant les fleurs aux abords de la route, les êtres qui peuvent se présenter sur votre chemin. Montez, montez, montez... Quand vous aurez atteint le sommet, restez-y quelques minutes sans vous poser de question. Admirez le paysage. Si vous avez la visite d'un Être de Lumière, écoutez ce qu'il a à vous dire, sans laisser votre mental analyser ses paroles. Laissez-vous aller simplement, sans aucun effort. Laissez-vous imprégner de cette lumière qui vous entoure. Si des pensées envahissent votre esprit regardez-les tout simplement traverser votre cerveau et s'en éloigner aussi rapidement qu'elles y sont entrées. Ne tentez pas de battre un record de temps! Quelques secondes, quelques minutes peuvent suffire à la méditation. Puis, quand vous aurez terminé votre séjour, redescendez lentement la montagne en admirant encore une fois tout ce que vous y verrez. Reprenez possession de votre corps, pénétrez-y doucement, en vous accordant quelques instants pour vous y habituer. Bougez un à un vos membres, ouvrez les yeux et... souriez. Votre voyage est terminé.

Méditer, c'est à mon avis aussi simple que cela. Escaladez votre montagne tous les jours, idéalement aux mêmes heures. Prenez la précaution à chaque occasion de demander l'aide d'un guide de Lumière pour vous éviter d'emprunter des chemins trop sinueux. Évitez d'en faire un exercice intellectuel stérile. On ne monte qu'avec son cœur. L'intellect, on le laisse «à la maison». Il est également important d'accepter que certains jours, nous puissions monter moins haut que d'habitude et parfois plus difficilement. On peut même se trouver très bien à mi-chemin de la montagne, cela n'a aucune importance. Chaque expérience est unique et apporte ses propres bénéfices. Ne comparez jamais vos méditations les unes avec les autres. Chacune a sa valeur, sa saveur, son effet. L'important, c'est le bonheur et la paix qu'on en retire.

Bon voyage et assurez-vous de revenir les deux pieds sur terre après chaque méditation. Ne perdez jamais de vue que c'est au cours de vos occupations quotidiennes que vous avez le plus de chances d'évoluer!

À partir de maintenant, et de plus en plus, je me sens attiré vers ma partie divine, mon vrai Moi. Je sens le besoin de m'y recueillir quotidiennement pour y puiser toute la sagesse qu'elle peut me transmettre. Mon esprit ne demande qu'à fournir les réponses à toutes mes questions. Je suis constamment à l'affût de ses messages.

Si tu es loin de toi-même,
comment peux-tu être près de Dieu.

Saint Augustin

On ne joint les mains que si elles sont vides.

L. Giraud

Un pays vit par les idées profondes
dont la méditation fait les élites.

Pierre L'Ermite

Il y a dix commandements pour le «sage». Neuf disent:
ne parle pas, un seul dit: parle peu.

Saint François de Sales

Le plus grand explorateur sur cette terre ne fait pas d'aussi
longs voyages que celui qui descend au fond de son cœur.

Julien Green

Le silence est un véritable ami qui ne trahit jamais.

Proverbe chinois

La détente et la relaxation
chassent les toiles d'araignées de l'esprit.

Georges Gorrée

La prière est comme le feu qui gonfle les ballons
et les fait monter vers le ciel.

Curé D'Ars

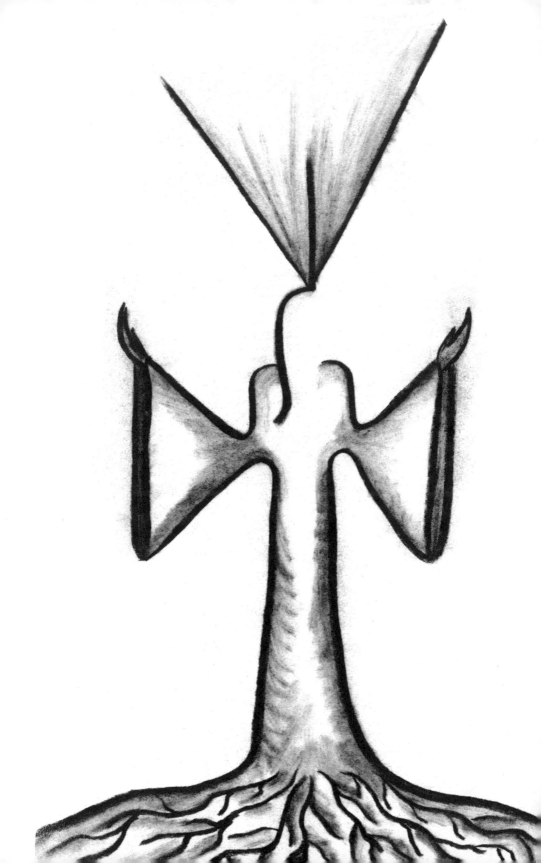

Chapitre 9

L'ÉNERGIE CHRISTIQUE

«L'énergie christique est accessible à quiconque veut lui ouvrir toutes grandes ses portes et l'accueillir.»

Le Christ. Est-ce une simple épithète qui fut un jour accolée au nom de Jésus ou s'agit-il plutôt d'un état d'âme, d'une énergie qui, lorsque captée par un être humain, le rend divin, lumineux, imprégné de cette sainteté, celle-là même dégagée par les Grands Maîtres, tels Jésus et Bouddha? Mon but, dans le présent chapitre, n'est pas d'apporter de nouvelles révélations, mais plutôt de démystifier cet état dit «christique» dans lequel nous pouvons nous retrouver un jour et y demeurer durant tout le reste de notre vie, si nous avons la sagesse de l'entretenir comme ont su si bien le faire tous les grands de ce monde. Mon intervention ici n'est en aucun cas dictée par quelque religion que ce soit, elle doit plutôt être considérée comme une simple réflexion personnelle.

UN GRAND MAÎTRE

Le Maître Jésus, de même que bien d'autres grands messagers de différentes époques, fut chargé de répandre sur la terre, où régnait une intense décadence, les moyens pour permettre aux habitants de se sortir du marasme dans lequel ils s'étaient plongés par leur manque d'amour et de connaissances. Il leur enseigna simplement comment utiliser la puissance de cet amour divin dans leurs gestes quotidiens. Il avait comme mandat de donner à l'humanité une nouvelle vision des choses basée sur le respect et la tolérance. Certains ont compris la véritable raison de sa venue et ont mis en application ses préceptes, d'autres en ont fait un Dieu et l'ont élevé sur un piédestal, non pas pour tirer profit du message divin dont il était porteur, mais simplement pour l'adorer en tant que personne.

Jésus fut mis au monde par Marie, une femme dont la pureté intérieure permit d'attirer une âme de même nature, aux aspirations divines. Ce petit être arriva sur notre plan terrestre avec une blancheur exceptionnelle qui ne cessa de grandir, et ne se détériora point avec l'âge comme c'est si souvent le cas aujourd'hui. Ses parents lui inculquèrent le respect des autres pour qu'il puisse ensuite développer ses facultés intellectuelles et spirituelles avec de Grands Maîtres d'origine essénienne, entre autres. Jésus arriva donc sur terre en possession d'une compréhension profonde de l'Amour divin. Plus tard, durant la période dite cachée de sa vie, il apprit des Esséniens à allier Amour et Connaissance, processus qui fit naître en lui la véritable sagesse, **l'état christique**. Le récit de cette période initiatique est très bien raconté dans le livre d'Anne et Daniel Meurois-Givaudan, intitulé *De mémoire d'Esséniens, l'autre visage de Jésus* (Éditions Arista). Au terme de cette période d'initiation, Jésus devint tellement «lumineux» qu'il put alors recevoir en lui ce fluide christique, cette énergie extraordinaire que seuls les êtres désintéressés et mûs par un Amour sans borne peuvent posséder. Cette énergie christique ne peut investir un corps et une âme qui ne seraient imprégnés d'une pureté divine exceptionnelle. Le Christ ne serait donc pas une simple épithète au nom de Jésus comme certains semblent le croire, mais plutôt un état auquel nous pouvons tous espérer avoir accès un jour.

Quand cette énergie christique nous investit, nous devenons des cocréateurs divins. Nous n'agissons plus en fonction de notre *ego*, mais en tant que «partie divine» ayant pour but de répandre sa pureté et sa joie de vivre. Nous pouvons alors tout faire, tout espérer; rien n'est impossible quand nous réussissons à nous hisser à ce niveau. La personne habitée par cette énergie christique peut «déplacer des montagnes», faire chavirer par un seul regard le cœur le plus endurci, guérir une maladie incurable d'un simple toucher. Le fait de passer dans le champ magnétique d'une telle personne est suffisant pour harmoniser à nouveau toutes les cellules de notre corps. Ne nous a-t-on pas rapporté que certains malades n'avaient qu'à toucher les vêtements de Jésus pour être complètement guéris? Ce dernier n'y était pour rien et il le clamait constamment! C'était cette énergie christique qui agissait à travers lui, bien souvent à son insu. Il ne guérissait jamais en son nom personnel, mais toujours en celui de son Père! L'état christique qui fut sien tout au long de sa vie publique le poussait constamment à transmettre aux autres la Connaissance divine qu'il avait acquise dans un langage que tous pouvaient comprendre en ces temps-là.

Pour ces êtres christiques, répandre le bonheur intérieur qu'ils ressentent devient une priorité dans leur existence, et ce à quelque prix que ce soit, même parfois au sacrifice de leur propre vie, celle-ci n'ayant d'importance que si elle sert à faire avancer autrui vers une plus grande harmonie, vers le Divin!

Jésus fut imprégné de cette substance christique durant une grande partie de sa vie et développa un immense charisme qui attira vers lui les foules, ainsi qu'un grand nombre de disciples. Ces derniers ont certainement dû faire un long travail d'épuration intérieure avant de pouvoir garder leurs vibrations suffisamment élevées pour supporter quotidiennement l'état christique qui émanait de Jésus. En effet, le taux vibratoire d'une personne mue par l'énergie christique est particulièrement élevé et un être non préparé ne pourrait rester longtemps en contact avec une telle «décharge électrique», si vous me permettez cette comparaison. Afin de pouvoir demeurer en contact permanent avec une telle énergie, il faut d'abord élever son propre taux vibratoire au niveau de cette énergie. Cette opération se fait par la méditation, la prière, la maîtrise de la pensée positive, le don de soi (à ne pas confondre avec l'oubli de soi), etc. Donc, si on veut un jour pouvoir côtoyer ou même accueillir en soi cette énergie christique, il faut modifier, parfois de façon radicale, son état de conscience.

Mais revenons à Jésus. Après avoir reçu la sagesse des Esséniens, il accueillit en lui cette substance christique, et ce n'est qu'à ce moment qu'il entreprit sa plus importante mission sur terre: donner aux humains les moyens pour réorienter leur vie dans le sens de l'Harmonie universelle. Certains avancent même que la présence de Jésus sur la terre permit à celle-ci d'être lavée d'une partie de son karma, c'est-à-dire des impuretés dont ses habitants avaient imprégné son aura, son champ magnétique, à cause de la nature vile et négative de leurs actes et de leurs pensées. Selon moi, c'est une théorie qui semble plausible, mais je n'aurais ni la prétention ni la compétence pour l'infirmer ou la confirmer.

Étant saturé (dans le sens positif du terme) de cette énergie et de cet Amour divin, Jésus pouvait par sa grande compassion guérir quiconque entrait en contact avec lui et ouvrait les portes de son cœur à cette force qu'il véhiculait. Ce n'était pas Jésus qui maîtrisait cette énergie, mais plutôt celle-ci qui le guidait, qui passait à travers lui pour exécuter ce qu'on appelle encore aujourd'hui des miracles.

LES MIRACLES

On a tenté depuis bien longtemps de nous faire croire que les miracles n'existaient pas et qu'ils ne pouvaient être que d'origine diabolique. Le temps où on brûlait les sorcières est révolu. Tout au long de ma démarche spirituelle, j'ai vu se produire des choses extraordinaires.

Un de mes amis atteint d'un cancer et condamné par la médecine s'est enfui de l'hôpital, où il devait terminer ses jours, pour entreprendre un long processus d'autoguérison. Il dut changer de façon radicale son alimentation ainsi que sa façon de penser, tout en mettant en pratique certaines techniques d'autoguérison par l'énergie. Plusieurs années ont passé depuis et il est toujours débordant de «vie», heureux et conscient de l'importance de chaque moment de son existence.

Certaines cathédrales et lieux de prières sont remplis de prothèses laissées sur place comme témoignage par les miraculés eux-mêmes. Ces miracles sont-ils dus à une foi sans borne, à une intervention divine ou à une toute autre raison? Il n'en demeure pas moins que ce sont bel et bien des miracles et que les personnes en question ont été guéries par une énergie extrêmement puissante jusqu'ici «inconnue» pour le monde scientifique, mais bien réelle pour ceux et celles qui en ont bénéficié.

Le frère André, thaumaturge bien connu, ne faisait-il pas régulièrement de ces miracles comme plusieurs autres grands mystiques? Ils étaient tous de parfaits canaux d'énergie christique, la même qui habitait Jésus.

Alors pourquoi toujours se tenir sur ses gardes lorsque le mot miracle est prononcé? Je trouve un peu contradictoire que certains chefs religieux incitent les croyants à porter en adoration un homme qui accomplissait des miracles et qui proclamait par surcroît que tous pouvaient en faire autant, et en même temps leur déconseillent fortement de développer les possibilités leur permettant de se prendre en main et de devenir eux-mêmes des guérisseurs spirituels du corps et de l'âme.

Je crois fermement que les miracles ne sont en fait qu'un manque de connaissance, qu'ils feraient partie de notre vie quotidienne si nous y croyions, si nous apprenions à faire circuler cette énergie christique à travers nous et si nous la laissions agir sans vouloir à tout prix la dominer. Si nous prenions conscience des nombreuses possibilités qui nous «pendent au bout des doigts», nous ne parlerions plus de miracles, mais de modestes guérisons spirituelles. L'homme serait un simple canal, le plus lumineux possible, par lequel les énergies divines auraient la possibilité de se matérialiser, et ce dans le but de faire évoluer tous les gens concernés.

De plus en plus d'exemples de ces possibilités de guérison dites «miraculeuses» affluent de toute part, mais nos yeux obstrués par les interdictions de nos préjugés et de nos religions limitatives nous empêchent de les voir. Il est peut-être temps de regarder au-delà de nos limites et de commencer à croire en l'«impossible» en laissant toujours une porte ouverte au cas où ce serait vrai!

LA VENUE D'UN SAUVEUR

Nombreux sont ceux qui attendent la venue du Christ, d'un nouveau Sauveur. Ils espèrent passivement qu'une nouvelle incarnation de Dieu viendra pour une seconde fois régler leurs problèmes et ceux de la terre qui les porte (ou plutôt qui les supporte), pour qu'ils puissent ensuite se remettre à patauger candidement dans la vie comme avant, dans la pollution continuelle de leur corps, de leur esprit et de leur environnement. Je serais plutôt enclin à croire que le Christ tant attendu, **l'état christique** pour être plus précis, **doit d'abord trouver sa place en nous.** Chacun de nous aurait grand avantage à employer dès maintenant toutes ses énergies à la purification de sa «terre intérieure», afin de pouvoir un jour y recevoir le germe christique et savoir l'entretenir suffisamment pour que s'épanouisse enfin cette merveilleuse fleur de Lumière qui sauvera le monde. **La terre doit redevenir un jardin constitué de toutes les fleurs que les hommes auront laissé pousser en eux.** N'oublions pas que chaque fleur porte en elle sa propre semence et qu'avec un peu de vent celle-ci peut se répandre et produire d'autres fleurs tout aussi colorées.

C'est en nous que la venue du Christ doit d'abord se faire. Même si un être tel Jésus ou Bouddha devait apparaître un jour au seuil de notre porte, pourrions-nous supporter la force christique se dégageant de sa simple présence? Je crois sincèrement que peu d'entre nous pourraient le faire et c'est pourquoi il serait doublement approprié pour ceux et celles qui attendent un sauveur de commencer sans tarder ce travail de purification intérieure, labeur qui ne peut se faire que dans un climat de tolérance et de respect total des croyances des autres.

LA SYMBOLIQUE DE NOËL

La fête de Noël est une excellente occasion de s'ouvrir à cette énergie christique. Toute la symbolique de cette célébration vise à nous faire comprendre que **pour accueillir le Christ en nous, il faut avoir le cœur pur comme un petit enfant.** Ce petit être a choisi de naître dans la plus grande simplicité, en pleine nature, loin des grandes villes, près de ses meilleurs amis et serviteurs, les animaux (le bœuf, l'âne, les brebis). Ceux-ci représentent le dévouement total de la race animale qui ne demande en retour que le respect des humains. La seule façon de nous préparer à la venue du Christ en nous est de redevenir ce petit enfant que nous avons tous été, celui qui s'émerveillait devant une fleur ou un papillon multicolore, celui qui caressait un chat sans rien demander en échange, celui qui voyait en tout homme ou toute femme un ami, une amie, celui dont la naïveté lui défendait de croire en la tromperie chez les autres, celui qui ne voyait que pureté en tout, car il était lui-même pureté. Jésus était redevenu cet enfant lorsqu'il reçut cet influx christique.

Noël est la période propice pour accueillir en nous, ne serait-ce qu'un instant, une partie de cette énergie christique. La cordialité des relations humaines qui se fait sentir durant cette période de l'année permet d'ouvrir bien des cœurs qui normalement restent hermétiques à toute expression d'amour véritable. Combien de mots tendres, qu'on n'oserait jamais prononcer en d'autres occasions, laisse-t-on échapper durant ces jours de grande joie? Combien de baisers sont-ils donnés, même du bout des lèvres, véhiculant une certaine parcelle d'amour vers l'autre? C'est à mon humble avis de cette façon qu'il faut préparer la venue du Christ; briser notre carapace, ouvrir les volets de notre cœur et laisser entrer la lumière que nous projette les autres. Les habitants d'une maison dont les volets seraient constamment fermés n'imagineraient jamais qu'à l'extérieur il puisse faire beau! Si nous nous efforçons de partager, chacun à notre façon, cette étincelle d'Amour durant la période de Noël, nous préparerons ainsi notre terrain intérieur à quelque chose d'extraordinaire. Certains le feront par des cadeaux, d'autres par une simple visite, d'autres par un repas en famille. Peu importe les moyens utilisés, il faut profiter au maximum de ce partage.

La traditionnelle messe de minuit dans la religion chrétienne est un autre moyen pour entrer directement en contact avec cette énergie christique. L'odeur d'encens qui y flotte, les chants qui nous y accueillent, l'émerveillement dans les yeux des enfants à demi endormis, les sourires de la plupart des participants, la présence des anges attirés par ce grand événement cosmique font que s'ouvrent alors les portes du ciel pour laisser s'écouler sur notre plan cette merveilleuse énergie christique. Elle est là, il suffit de la laisser pénétrer en nous.

À cette occasion, vous n'avez rien à perdre à tenter l'expérience. Peu importe que vous soyez ou non pratiquant. La magie est là pour tous et le miracle se produit du moment qu'on lui ouvre son cœur. Vivez ce moment dans votre pureté et votre simplicité d'enfant. Ne vous laissez pas distraire par le faste qu'on se plaît parfois à y mettre. Soyez là, entier, tout simplement! Durant la célébration, ouvrez vos mains, captez cette énergie par vos dix merveilleuses antennes, visualisez que vous aspirez ce fluide christique par le bout de vos doigts et qu'il envahit une à une toutes les cellules de votre corps. Laissez ensuite se poursuivre le miracle en vous. Souvent, dans le domaine spirituel et matériel, j'ai pu constater qu'il suffisait de mettre des choses en marche et de les laisser ensuite tout simplement aller. L'univers et ses guides s'occupent du reste.

Pour profiter au maximum de cette célébration de Noël, il est également très important de nous préparer à recevoir cette énergie divine. Nous pouvons le faire facilement, entre autres, en réduisant notre consommation d'alcool et de tabac quelques heures avant l'événement, car plus notre taux vibratoire sera élevé et notre paix intérieure grande, plus nous serons apte à recevoir cette lumière, plus la paille de notre crèche intérieure sera chaude pour accueillir cet «enfant».

Revenons donc à nos... moutons et prenons conscience que si on veut profiter au maximum de cette ouverture du ciel, il est très important de savoir préparer son terrain de façon à recevoir le plus beau cadeau du monde, le Christ en nous. C'est ce côté sacré qu'il est fascinant d'apprendre à redécouvrir à travers des rites qui pour la plupart ont perdu toute signification profonde.

Mais cette énergie christique n'est-elle accessible qu'à ce moment précis de l'année?

Évidemment non. De nombreuses autres périodes sont propices à ce déploiement des énergies divines, par exemple durant le temps de Pâques. J'ai traité d'ailleurs de ce sujet dans mon livre précédent *Sur la voie de la sagesse.*

Nous retrouvons également la présence de ce transfert d'énergie christique dans certains autres rites chrétiens. Prenons par exemple la communion durant la célébration eucharistique catholique. Pendant des années, j'ai considéré cette pratique comme un simple geste routinier sans signification réelle. Je n'allais communier que pour montrer aux autres que j'étais en état de grâce! Mais, lors d'une méditation, au cours d'un de ces moments privilégiés où tout devient clair en nous, j'ai compris le véritable sens de ce rite. En offrant l'hostie au communiant, le célébrant dit: «Le corps du Christ.» L'hostie est tout simplement la représentation «matérielle» de cette énergie christique, le corps du Christ, transmise du prêtre au communiant. Celui-ci reçoit alors en lui cette Lumière qu'il peut choisir d'entretenir ou qu'il peut laisser se dissiper, souvent parce qu'il ignore l'existence de cette force qu'on vient de lui insuffler. Revenons quelques années en arrière lorsqu'on nous demandait de garder l'abstinence quelques heures avant de communier. C'était tout simplement pour «préparer le terrain» à cette énergie divine, pour permettre à nos vibrations de s'élever afin de recevoir dignement ce cadeau divin et pour pouvoir en profiter au maximum. De nos jours, l'ignorance fait que pour bien des gens la communion est presque devenue vide de sens, d'un côté ou de l'autre de la planète...

Nous pouvons également, à chaque moment de notre vie où le partage d'amour est particulièrement intensif, recevoir à notre insu cette énergie christique. Il faut ensuite travailler à la conserver, non par des rites religieux ou ésotériques compliqués, mais par une motivation constante d'évolution et un amour véritable envers nous.

Si un jour un Grand Maître nous est envoyé comme l'ont prédit à tort ou à raison maints prophètes, nous serons alors en mesure de l'accueillir, de comprendre l'importance de son intervention, de marcher à ses côtés au lieu de ramper derrière lui, de devenir nous-mêmes des porteurs de Lumière. Demandons par la prière ou la méditation à ces grands êtres qui sont passés avant nous de nous aider à trouver les moyens pour laisser entrer en nous cette énergie christique pour que devienne vivante cette parole de notre Grand Frère Jésus qui nous assurait que nous pouvions exécuter les mêmes œuvres que lui et même de plus grandes encore... (saint Jean, chapitre 14, verset 12).

À partir de maintenant, et de plus en plus, je demande à mes guides de mettre sur mon chemin les personnes et les événements me permettant de faire fleurir ce jardin intérieur et de laisser grandir en moi cette Lumière pour que l'énergie christique puisse un jour y prendre demeure permanente. Je désire que tout ce cheminement se fasse dans l'harmonie et la joie de vivre.

Comme le chêne dans le gland, quelque chose d'infiniment grand sommeille dans tout homme.

Maurice Carême

On ne consent pas à ramer quand une force intérieure nous pousse à voler.

Helen Keller

Chapitre 10

VIVRE 200 ANS... ET PLUS!

*L'âge est une chose de l'esprit. Si vous
n'y pensez pas, il n'a plus d'importance.»*

NOTRE VISION DE LA VIEILLESSE

Prenons quelques instants pour jeter un coup d'œil sur
notre perception personnelle de la vieillesse. Nous n'avons
qu'à penser à un homme de quatre-vingts ans pour voir
apparaître à notre esprit l'image d'un vieillard usé, le dos
courbé, une canne à la main, ayant certaines facultés physi-
ques et mentales passablement affaiblies. Si nous laissons
cette impression grandir en nous sans réagir, il y a de fortes
chances que nous devenions à notre tour ce petit vieux
rabougri et sénile ressemblant en tout point à l'image mentale
que nous en avons toujours eu.

Cette représentation de la vieillesse nous incite à la craindre, et ce à juste titre. C'est pourquoi il serait très à-propos de
penser à modifier dès maintenant cette image et de chercher
à entretenir des pensées de jeunesse éternelle. Mais, me diront
certains, pourquoi chercher à prolonger notre vie? Pour rester
«petit vieux» plus longtemps, pour souffrir de la solitude et
de la sénilité quelques années de plus? Évidemment non! Je
dirais plutôt que nous devrions nous fixer pour but de profiter
d'une plus grande longévité pour prolonger le plus possible

nos années de jeunesse. La vieillesse n'a de pouvoir sur nous que dans la mesure où nous lui donnons une raison d'être, que nous l'acceptions comme inévitable. N'y a-t-il pas dans votre entourage des jeunes gens qui sont en réalité très vieux à l'intérieur, défaits, rabougris, tandis que certaines autres personnes dites âgées resplendissent de jeunesse et de sagesse? L'âge est un concept très limitatif! Chaque anniversaire nous rappelle que nous vieillissons d'un an et nombre de gens à cette occasion se font le devoir de nous le rappeler: «Tu dois te sentir plus vieux d'un an aujourd'hui, n'est-ce pas?» ou «Encore un an de plus... on n'y peut rien!» Ces réflexions montrent bien les préjugés limitatifs dont nous sommes profondément imprégnés.

Ramtha, une entité ayant vécu il y a très longtemps et se manifestant par l'intermédiaire d'une américaine du nom de J.-Z. Knight, disait durant une de ses manifestations: «Vous avez le pouvoir en vous, au lieu même où vous vous trouvez, de renverser le mécanisme du vieillissement, de retrouver la jeunesse et de vivre pour un temps infini – il suffit de changer vos attitudes. Dites-vous: mon corps vivra toujours, ainsi soit-il. Enlevez de votre vie toute chose qui reconnaît le caractère mortel de votre corps, et il n'aura plus jamais de fin. Bannissez de votre vocabulaire le mot «vieux». Employez à la place l'expression «pour toujours». Arrêtez de fêter vos anniversaires, car en les fêtant vous accordez créance au mécanisme du vieillissement. Si vous trouvez plaisant de reconnaître le fait de votre naissance, pourquoi pas? Mais dans ce cas comptez les années à rebours. Quand on espère pas la mort on ne la connaît pas [1].»

On a programmé en nous dès notre tendre enfance toutes les étapes de notre vie. Voici la perception que j'ai toujours eue de la vie jusqu'au jour où j'ai décidé de me prendre en main. De 0 à 20 ans, on a le droit de tout expérimenter et de vivre pleinement sa jeunesse. On agit d'ailleurs souvent comme les maîtres du monde. Puis, de 21 à 40 ans, on doit

1. Ramtha, *Ramtha*, Éditions Astra.

lentement devenir «sérieux» et prendre ses responsabilités. À partir de la quarantaine, on n'a d'autre solution que de commencer à décliner jusqu'à 65 ans. Arrive ensuite l'heure de la retraite. On se voit alors relégué aux oubliettes par la société, qui trouve inutile toute personne trop âgée pour «produire»; il faut laisser la place aux jeunes! Si on a de la chance, on se retrouve enfin à 75 ans, dans l'attente de la mort, solitaire puisqu'on a toujours crû qu'il devait en être ainsi. Comment peut-on espérer une vieillesse heureuse, nourrie de constantes découvertes spirituelles et sociales après s'être programmé depuis longtemps en se disant qu'on est venu au monde seul et qu'on doit absolument mourir seul? Il est évident que l'instant de la naissance et celui de la mort sont presque les mêmes, en sens inverse, mais on parle alors **d'instants**, non d'années! Il ne faut pas se préparer mentalement à une vieillesse meublée par l'ennui et la solitude, car on aura tôt fait de la trouver, ou plutôt de se la créer.

De plus en plus fleurit en moi la certitude qu'on peut vivre jusqu'à 200 ans et plus. Cette affirmation peut faire sursauter certaines personnes dont l'intellect demandera à juste titre des démonstrations scientifiques de ce que j'avance! Je les décevrai sûrement en leur disant que je n'ai aucune preuve à offrir, ne serait-ce que ma conviction profonde en cette affirmation et peut-être en ce peuple des Hunzas vivant dans les Himalayas, dont je parlerai plus en détail à la fin du présent chapitre et qui a une espérance de vie d'environ 145 ans.

Elle est en phase terminale cette ère des Poissons où nous étions emprisonnés dans un carcan de limitations à tous les niveaux. Il est temps de nous préparer à sauter tête première dans l'ère du Verseau, ère qui débutera en l'an 2160 selon les affirmations de nombreux astrologues. La première étape à franchir afin de profiter pleinement de cette nouvelle période est d'écarter de nos pensées et de nos vies toute limite... en commençant par celles concernant l'âge et peut-être même la mort.

Oui, il est maintenant possible de vivre beaucoup plus longtemps, mais à la seule condition de se **prendre en main maintenant**. Cette longévité ne s'acquerra pas uniquement par la force de la pensée, la pratique de la méditation et la visualisation, mais par des gestes quotidiens concrets et des modifications immédiates de notre comportement individuel, puis collectif.

> *Nous devrons entre autres réapprendre à nous ALIMENTER, à RESPIRER, à PENSER.*

Ces trois actions, nous les faisons instinctivement depuis des années, sans nous poser de questions. Mes nombreuses recherches sur le sujet m'ont amené à me bâtir une vision personnelle du fonctionnement de l'être humain dans sa totalité. La synthèse qui en est ressortie m'a permis de cheminer vers une plus grande compréhension des comportements de l'homme en général et de l'interdépendance de ses pendants physique et spirituel. J'en suis venu à la conclusion que la façon dont l'être humain s'alimente, respire et pense a des **conséquences directes** sur son bien-être ou son «mal-être». Je vais tenter dans les pages qui suivent de vous transmettre les grandes lignes de cette synthèse en espérant qu'elles vous permettront à vous aussi d'établir certains liens... et de vous donner peut-être une vison plus large de la vie.

LES SEPT CORPS DE L'HOMME

Avant de traiter de l'effet direct de notre alimentation sur les composantes de notre être, il serait approprié de connaître les sept corps qui le composent.

LES SEPT CORPS DE L'HOMME

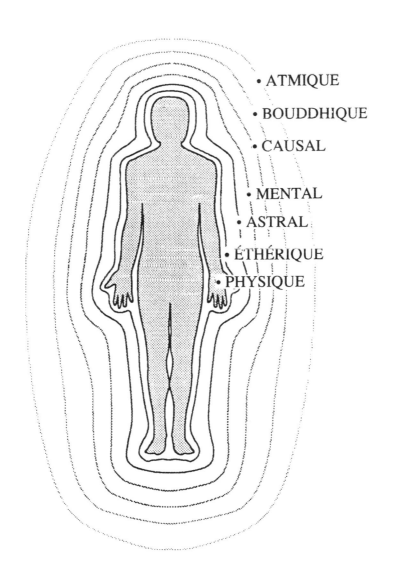

L'homme n'est pas formé que d'un **corps physique**, ce dernier n'étant que sa partie la plus dense, la plus visible, la plus vulnérable également.

Le corps physique est entouré d'un premier halo appelé **corps éthérique**. Celui-ci a l'apparence d'une légère fumée blanchâtre épousant parfaitement les formes du corps physique. Il est en quelque sorte le gardien, le protecteur, le guérisseur. C'est lui qui a, entre autres, la tâche de réharmoniser constamment les composantes du corps physique, particulièrement lorsque celui-ci est endormi.

Ensuite, on trouve le **corps astral**. C'est le siège des émotions, des grandes peurs, des grandes joies. C'est lui qui nous ramène les sensations du passé, du «déjà senti» et qui enregistre les réactions émotives du présent.

Comme quatrième manteau, on retrouve le **corps mental**. C'est celui de l'intellect, du raisonnement scientifique, de l'attitude cartésienne. Ce dernier sera particulièrement développé chez les chercheurs, les universitaires, les grands penseurs. C'est par lui que le cerveau recueille les données nécessaires pour effectuer les actions quotidiennes.

Les trois derniers sont les **corps causal, bouddhique et atmique**. Ils sont souvent considérés comme formant un seul tout, ayant en commun un très haut niveau de vibrations. Ils constituent en quelque sorte l'enveloppe de l'âme, ce véhicule de l'esprit qui voyage d'un corps à l'autre transportant dans ses bagages toutes les expérimentations acquises du passé.

L'aura, comme on l'appelle communément, est tout simplement l'ensemble de tous ces corps subtils, qui reflètent leurs couleurs propres, lesquelles peuvent changer continuellement selon l'état d'être de la personne.

Quelque temps après la mort du corps physique, son pendant éthérique sera le premier à se désintégrer. On a tous entendu parlé de ces vapeurs «bleutées» que certains ont parfois aperçue, au-dessus des sépultures de personnes récemment inhumées dans les cimetières. Il s'agirait du corps éthérique du défunt qui s'attarde autour de sa partie physique

encore quelque temps avant de disparaître. Par la suite, lorsque l'âme sera bien «installée» dans l'au-delà, les corps astral
et mental se dissiperont. La disparition de ceux-ci aura pour
effet d'enlever à l'âme toute mémoire de sa dernière vie sur
terre. Quant aux trois derniers corps, ils suivront l'âme durant
tous ces voyages jusqu'à la fusion finale avec l'esprit, après
l'atteinte de la perfection.

**Une autre particularité très intéressante caractérise
ces sept corps: chacun d'eux a besoin de sept ans pour
atteindre sa maturité.** L'enfant vient au monde avec ses sept
corps, mais ces derniers se trouvent à ce moment dans un état
qu'on pourrait qualifier d'«embryonnaire». Chacun d'eux
demandera alors à être nourri, façonné, élevé.

De 0 à 7 ans, c'est le corps physique qui prend toute la
place. C'est la période où l'enfant grandit presque à vue d'œil,
de jour en jour. Tout est centré sur ce corps qu'il tente
d'apprivoiser comme un habit neuf qu'on apprend à porter.
Tout est mis en branle autour de lui pour qu'il ne manque rien.

De 7 à 14 ans, c'est le corps éthérique qui se forme.
L'enfant apprend à se prendre en main, à devenir plus autonome, à se protéger contre les influences extérieures. C'est
aussi l'époque de la puberté, du désir de développer son
propre caractère.

De 14 à 21 ans, c'est le corps astral qui se façonne,
entraînant avec lui les tempêtes émotives de l'adolescence, la
découverte de la sexualité, le rejet de la société et de ses
normes auxquelles il a toujours cru aveuglément, mais qu'il
désire maintenant expérimenter, sentir. C'est le temps des
grandes amours, des grandes haines, des grands espoirs comme des grandes défaites.

Les émotions poussent l'adolescent aux extrêmes et il a
besoin alors de beaucoup d'attention et d'aide afin d'apprendre à ne pas se laisser uniquement guider par elles.

De 21 à 28 ans, le développement du **corps mental**
apporte à la personne le raisonnement cartésien, le développement de l'intellect, le dernier «outil» indispensable pour

entreprendre sa vie d'adulte. On retrouve, entre autres, dans cette catégorie d'âge beaucoup d'universitaires, à la recherche du savoir intellectuel. Chez certains, ce désir de connaître les entraîne parfois à l'excès, ce qui a pour effet de leur faire perdre tout contact avec leur environnement et même leur partie divine, en laissant toute la place à leur personnalité (*l'ego*).

De 28 à 35 ans, le corps causal pousse l'homme à développer plus particulièrement sa spiritualité. Durant cette période, il aura un choix crucial à faire, celui de rester dans son ancien style de vie plutôt matérialiste ou d'entreprendre une démarche spirituelle profonde.

Enfin, **de 35 à 49 ans, les corps bouddhique et atmique** se développeront dans la mesure où la personne aura choisi sa voie spirituelle. Ils se façonneront selon le rythme de l'évolution.

À 49 ans, l'être humain est fin prêt à entreprendre sa vie puisqu'il est maintenant en pleine possession des moyens dont il aura bien voulu se «doter» depuis sa naissance. Plus il aura élevé et nourri correctement ses sept corps, plus il pourra en profiter au cours de sa recherche de sagesse et de bonheur. À partir de 49 ans, tout est donc possible, tout peut alors commencer! Ceux qui prétendent que l'homme commence à décliner à partir de 40 ans sont à mon avis dans l'ignorance totale des Grandes Lois de la vie! J'avancerais même que la véritable vie peut commencer à cet âge, si on prend la peine de s'y préparer et si on se permet tout au moins d'y croire!

Mais que faire pour assurer une formation maximale à tous nos corps?

C'est bien simple. Ceux-ci étant formés de ce que nous mangeons et de ce que nous pensons, ils grandiront «en sagesse» dans la mesure où nous nous efforcerons quotidiennement de vivre dans la plus grande harmonie possible, en développant de notre mieux notre spiritualité et notre application de l'Amour avec un grand «A» dans chacun de nos gestes et chacune de nos pensées. Nous édifierons alors peu à peu des corps atmique, bouddhique et causal lumineux et forts. Par la simple pratique de la pensée positive, nous formerons un corps mental juste, source de grand discernement. Nous renforcerons notre corps astral en évitant de refouler constamment nos émotions et en tentant de les apprivoiser. Nous pourrons compter sur un corps éthérique fiable par les soins et le repos que nous apporterons à notre corps physique. Ce dernier sera enfin la réplique «matérielle» des six autres corps et sa qualité dépendra en grande partie des aliments qui y seront ingérés et transformés. **De là l'importance capitale de l'alimentation saine.**

LES EFFETS DE L'ALIMENTATION SUR NOS SEPT CORPS

Il y a une théorie à laquelle je prête beaucoup de crédit et qui affirme qu'au tout début des temps, tous les animaux furent créés végétariens. La brebis côtoyait sans crainte le loup, tandis que le lion courtisait la gazelle! L'homme et l'animal vivaient en pleine harmonie et mangeaient ensemble à la table que la nature dressait spécialement pour eux jour après jour. Puis l'Homme prit goût à la viande, et donna, par le fait même, l'exemple à l'animal qui en fit autant. L'homme ne se contenta plus du lait que la vache avait la bonté de lui offrir. Il mangea aussi sa chair! Il ne sut plus apprécier l'œuf de la poule... et il la dévora à son tour! Cette histoire peut sembler quelque peu fantaisiste, mais elle illustre très bien selon moi cette escalade de l'humain vers la violence.

Ce n'est que plus tard que l'appât du gain sans cesse grandissant engendra l'ère des produits chimiques. On en mit partout, dans le sol pour exiger de lui un rendement plus que maximal, le forçant ainsi à produire plus qu'il ne pouvait, puis dans les aliments pour les conserver plus longtemps et en rehausser l'apparence afin qu'ils se vendent mieux. Ces additifs empoisonnèrent peu à peu le corps de l'homme qui, pour y remettre l'harmonie, se mit à se gaver allégrement de médicaments... tout aussi chimiques. Depuis, notre corps de plus en plus malade et incapable de s'autodéfendre ne cesse de se dégrader de génération en génération. L'espérance de vie de l'homme n'est que d'environ 70 ans au lieu de 200 ou 300 ans, comme elle devrait normalement l'être. Bien sûr grâce aux progrès des techniques médicales, l'humain vit plus longtemps qu'il y a vingt ou trente ans. La médecine a permis à la vie de se prolonger, mais a-t-elle réussi à en améliorer la qualité pour autant? De nombreuses personnes âgées se retrouvent à 70 ou 80 ans complètement dépendantes des médicaments qui, souvent à leur propre demande d'ailleurs, leur ont été prescrits non pour les guérir ou les inciter à chercher les véritables causes de leurs maladies, mais simplement pour endormir leurs maux et pour les endormir eux aussi. La médecine nouvelle, qu'elle soit douce ou traditionnelle, a cette lourde tâche qui consiste à soigner dans un premier temps le corps physique, dans un deuxième temps à découvrir avec le patient la véritable raison de l'apparition de ce déséquilibre dans son corps. C'est pourquoi les médecins et les thérapeutes de demain, quelle que soit leur formation, devront s'unir et se respecter au lieu de prétendre chacun leur tour détenir le monopole de la vérité et baser leur niveau de compétence sur leur nombre d'années d'études.

À l'aube de l'ère du Verseau, nous devons nous prendre en main, et ce en commençant par changer notre alimentation. Nous n'avons rien inventé. Le végétarisme est présent partout dans la nature. Le bœuf, cet animal dont la chair rend supposément l'homme si fort et si robuste, n'est-il pas lui-même végétarien? L'éléphant, le plus gros animal terrestre pesant jusqu'à cinq ou six tonnes, n'est-il pas lui aussi herbivore? Ces deux exemples peuvent fournir matière à réflexion pour ceux qui doutent encore de la possibilité de croître sans consommer de viande. Mais mon but n'est pas de vanter les mérites du végétarisme, mais d'expliquer les effets de la nourriture sur nos sept corps.

Prenons l'exemple d'une pomme. Elle est formée, tout comme l'homme, d'une substance physique entourée d'une énergie subtile de grande pureté. On pourrait comparer respectivement la chair et la pelure de la pomme aux corps physique et éthérique de l'humain, l'énergie qui entoure la pomme aux corps mental, causal, bouddhique et atmique.

Quand je mange une pomme, je nourris mon corps physique de la chair de ce fruit, et mes corps subtils – qui ont eux aussi besoin de «manger» pour prendre des forces – des émanations qui s'en dégagent. En me servant à la table de la nature, je suis assuré de donner à mon corps physique les substances les plus pures que la terre puisse m'offrir, ses fruits et ses légumes, et de nourrir mes corps subtils des énergies cristallines et divines, qui s'exhalent de ceux-ci.

Les fruits et les légumes nous apportent toute la vitalité et la lumière dont nous avons besoin, mais qu'en est-il de la viande?

Prenons le cas du bœuf. Si nous suivons la ligne de pensée que je viens de vous décrire, lorsque nous mangeons du bœuf, nous alimentons notre corps physique de la chair de cet animal, mais nous assimilons également dans nos autres corps toute la violence qui fut imprégnée dans les propres corps subtils de cette bête. Cette violence est issue en particulier des conditions dans lesquelles il fut élevé et tué. Nombre de cultivateurs pourront vous confirmer qu'à partir du moment où la décision d'abattre un animal a été prise, même si c'est plusieurs semaines auparavant, celui-ci devient de plus en plus nerveux et stressé. Il semble pressentir sa fin et commence à secréter de l'adrénaline, comme le ferait n'importe quel humain en pareille situation de stress. Durant cette période, s'accumulent en ses corps subtils toutes sortes de sentiments de peur et de violence qui seront bientôt profondément ancrés en lui. Puis vient le moment de l'exécution de l'animal.

Dans bien des cas, l'animal, entassé parmi d'autres, est conduit jusqu'à l'abattoir, où il n'est déjà plus considéré comme possédant la vie, mais en tant que simple amas de viande. Puis sans crier «Gare!», des hommes ou des machines le tuent sans aucun respect pour cette créature de Dieu. Le coup fatal et dénué de toute considération qu'on inflige à la bête s'imprègne dans ses cellules et par conséquent dans tous ses corps subtils. C'est le produit de toutes ces transformations que nous mangeons, que nous transmettons à nos cellules; **c'est également ce que nous devenons.**

J'ai un ami cultivateur qui élève ses animaux dans la dignité et le respect. Comme il se plaît à le dire, ses bêtes sont un peu comme ses enfants et il les traite comme tel. Il leur parle et leur explique leur mission. Lorsque vient le temps de les abattre, il les prépare longtemps à l'avance en leur expliquant que certains hommes ont besoin de leur chair pour se nourrir et il leur demande la permission de prendre leur vie pour qu'elle soit transmise à ces personnes. Tout se fait dans le plus grand respect, ses animaux ne subissent aucune violence. Un animal élevé ainsi devient beaucoup moins néfaste à la consommation et sa chair garde toute sa tendreté.

Je crois qu'il est approprié de réduire notre consommation de viande rouge. Les viandes blanches de même que le poisson sont des aliments de transition considérés comme moins nuisibles pour la santé des humains, même si elles contiennent autant de vibrations de violence. Bien sûr, il n'est pas recommandé non plus de tomber dans l'excès et de cesser du jour au lendemain toute consommation de viande. Le corps doit s'habituer lentement à tout changement majeur de ce genre. D'excellents volumes expliquent la façon de remplacer naturellement les éléments nutritifs contenus dans la viande.

D'ici à ce que nous devenions végétariens, nous pouvons prendre des moyens pour nous débarrasser des émanations négatives des viandes que nous mangeons. L'un d'entre eux consiste à «balayer» d'un geste de la main, au-dessus de la nourriture qu'on s'apprête à ingérer, toutes les vibrations de violence qui y furent imprégnées, tout en remerciant l'animal d'avoir donné sa vie pour nous. C'est très simple et ça ne prend que quelques instants. Ainsi, l'harmonie est rétablie et ce qui était violence est transformée en amour. Pas besoin de grandes formules compliquées, un geste discret de la main et une pensée suffisent. Le *bénédicité* qu'on récitait avant chaque repas était d'ailleurs une excellente façon de purifier la nourriture qui allait servir de repas. Malheureusement, on a perdu lentement le sens sacré de cette pratique, qui s'est éteinte d'elle-même par manque d'intérêt et de compréhension.

Puisque toute nourriture vivante s'imprègne de nos pensées et de nos sentiments, il devient alors important de **préparer les repas avec amour.** En effet, l'état d'esprit dans lequel nous sommes ainsi que les vibrations que nous dégageons lors de la préparation d'un plat font que celui-ci sera attirant ou non. Si vous préparez une salade en pensant à votre pire ennemi ou à la dispute que vous venez d'avoir quelques minutes auparavant, ceci est suffisant pour la rendre indigeste. Au contraire, mettez-y toute votre attention, ayez du plaisir à la faire, soyez joyeux, chantez et, au repas, amusez-vous à écouter les commentaires. Ils refléteront à coup sûr votre état d'être. C'est peut-être cela la véritable magie!

Bref, si au lieu de gaver notre être de la violence dégagée par des animaux morts dans la frayeur (pardonnez-moi cette description plutôt directe mais elle représente à mon avis la triste réalité), nous tentons peu à peu de nous imprégner de la beauté, de la pureté et de la lumière dégagées par ce que nous offre si généreusement et si abondamment notre mère la Terre, ne serait-il pas alors possible d'aspirer à une vie plus longue, plus lumineuse et plus agréable?

RESPIRER À PLEINS POUMONS

N'est-il pas intéressant de constater que le geste le plus simple de la vie, celui de respirer, est en même temps le plus important? En effet, le corps peut se passer facilement de nourriture pendant un mois, d'eau pendant quelques jours, mais d'air... que durant trois minutes environ! Le but de la respiration est d'extraire de l'air ambiant les éléments nécessaires à la constante régénération de nos cellules. Ce «carburant» assimilé à chaque inspiration contient, entre autres, une énergie très subtile d'un haut niveau vibratoire appelée «prâna». Cette énergie confère à nos corps une force indispensable qui, convenablement utilisée, emmagasinée et canalisée, peut devenir une source de puissance inouïe.

Le karaté nous donne un très bel exemple de la force engendrée par la respiration. Prenons le cas d'un karatéka qui s'apprête à porter un coup nécessitant une explosion de

puissance (par exemple pour casser des briques). Il se prépa-
rera à l'aide de plusieurs respirations rapides. Il «pompera»
ainsi en lui une très grande quantité de prâna, accumulant un
surplus de force vitale. Quand une quantité maximale de
prâna aura été inhalée et transformée en énergie, le karatéka,
tel un volcan en éruption, canalisera toute cette force, qui se
matérialisera alors en un mouvement précis dans lequel il
mettra toute sa concentration. Ce karatéka se servira également de l'air, mais dans le sens inverse. Il utilisera en effet
l'absence de prâna dans son corps pour le rendre pratiquement
insensible. Après avoir pratiqué certaines techniques pour
vider entièrement l'intérieur de son corps de toute présence
d'air, il pourra recevoir des coups sans ressentir le moindre
mal.

Les techniques de respiration procureront à certaines
personnes un sentiment extraordinaire de calme, de paix, de
sérénité. Le fait de ralentir le processus de la respiration tout
en augmentant le débit calmera l'activité des cellules et
procurera aussitôt une grande détente.

Le prâna qui circule dans notre corps a donc un effet
régénérateur primordial sur tout notre être. Plus nous permet-
trons à cet élixir de vie de pénétrer en nous, plus il pourra
revivifier les moindres recoins de notre intérieur, faisant ainsi
augmenter notre espérance de vie. **C'est pourquoi une des
conditions essentielles à la longévité est de réapprendre à
respirer!** La plupart d'entre nous n'utilisons que 50 % de la
capacité de nos poumons. À chaque inspiration, nous ne les
remplissons que de la moitié de l'air qu'ils pourraient (et
idéalement devraient) emmagasiner. La seconde partie reste
vide, inutilisée. La technique que nous étudierons un peu plus
loin permettra d'utiliser nos poumons à 100 %, chaque fois
que nous inhalons de l'air.

Il est important que nous prenions conscience de la profondeur et de la fréquence de nos respirations. Dans la plupart
des cas, nous constaterons que nous ne gonflons que la partie
supérieure de nos poumons pour en rejeter l'air presque
aussitôt. En agissant ainsi, nous ne permettons pas au prâna
de traverser nos parois pulmonaires et d'atteindre les cellules

les plus éloignées de notre être. **La respiration idéale doit être profonde et lente.** Le meilleur exemple que nous puissions prendre est celui d'un bébé, car il n'a pas encore acquis de mauvaises habitudes et il sait d'instinct ce qui est bon pour lui. Remarquez son ventre se gonfler comme un ballon à chaque inspiration! C'est pour nous le modèle parfait.

Voici donc une technique de respiration simple et efficace. Je vous propose de prendre quelques minutes pour l'expérimenter. Laissez entrer l'air par vos narines, très lentement, si lentement qu'une plume située sous votre nez ne bougerait pas. Dirigez cet air vers le bas de vos poumons en gonflant votre ventre comme un ballon. Puis, quand celui-ci est bien «rond» continuez à faire pénétrer l'air en le dirigeant graduellement vers le haut de vos poumons et en dégageant le thorax pour y faire plus de place. Dans un dernier temps, faites-le monter encore plus haut, dans la boîte crânienne, comme si vous vouliez envoyer une brise d'air pur dans votre cerveau. Tout ceci doit s'effectuer harmonieusement sans efforts. Gardez ce prâna en vous quelques secondes en visualisant des milliers de points de lumière traversant les parois de vos poumons, se propulsant dans toutes les directions de votre être, vivifiant et éclairant les moindres recoins de votre organisme. Ensuite, relâchez doucement cet air, dont vous avez maintenant assimilé l'essentiel, en lui faisant parcourir le chemin inverse, c'est-à-dire en expulsant graduellement l'air de votre tête, de la partie supérieure de vos poumons, puis de votre ventre qui doit se vider complètement. Tout ce processus d'expiration doit s'effectuer à un rythme lent, de façon à ne provoquer aucun mouvement sur cette plume imaginaire qui pend toujours au bout de votre nez... Recommencez cet exercice cinq ou six fois, ou même plus si vous en ressentez le besoin, et vous éprouverez dès la première expérience un calme et une paix indescriptibles. Votre facilité de concentration et de méditation sera grandement améliorée.

Après avoir fait cet exercice, revenez à une respiration plus normale et vous constaterez que la respiration lente et profonde que vous avez expérimentée se poursuivra d'elle-même, sans que vous n'ayez besoin d'y penser. Elle deviendra naturelle et c'est le but à atteindre. Vous prendrez conscience que vous prenez deux fois moins de respirations qu'auparavant tout en inhalant deux fois plus d'oxygène et de prâna divin.

Au début, il se peut que vous ayez de la difficulté à vous adapter à cette nouvelle technique de respiration. Il est difficile de changer de vieilles habitudes. Il faut les remplacer graduellement par de meilleures, et ceci se fait par la répétition de celles-ci. La constance de l'effort fourni durant une démarche, quelle qu'elle soit, est souvent le gage de sa réussite ou de son échec.

Comme dans beaucoup de domaines, il faut éviter à tout prix de tomber dans l'excès, et de nous mettre à «forcer» notre respiration. Chacun doit l'adapter selon les réactions et les messages que lui donne son corps. N'oublions pas que cette respiration, lente et profonde, doit devenir permanente, naturelle et confortable. Trois ou quatre fois par jour, réservez-vous quelques minutes durant lesquelles vous vous arrêterez et vous prendrez de cinq à six respirations, lentes et profondes, selon la méthode décrite précédemment. Vous pouvez même mettre cet exercice à votre agenda si vous le désirez afin d'en faire une priorité. Après chaque «séance», reprenez votre travail normalement en laissant votre inconscient s'occuper du reste. Le rythme respiratoire installé en vous durant votre exercice devrait se maintenir durant une certaine période qui devrait normalement s'accroître avec de la pratique.

Durant la journée, si vous sentez monter en vous de la fatigue ou de la nervosité, sachez reconnaître la sonnette d'alarme de votre système de protection personnel et prenez alors le temps de... respirer! Quelques respirations profondes auront tôt fait de vous calmer. C'est un moyen si simple et à la portée de tous!

On peut également profiter des bienfaits de la respiration lente et profonde pour réprimer la douleur. Avez-vous remarqué que lorsqu'on se fait mal, lorsqu'on se frappe un genou sur le coin d'un meuble par exemple, on se met aussitôt à haleter de façon saccadée? Cette mauvaise ventilation a pour

effet de brouiller momentanément les canaux énergétiques et
d'empêcher le système de défense naturel de réagir aussi
rapidement qu'il le devrait. Au moment où nous ressentons
une douleur, nous devons avoir le réflexe de prendre quelques
respirations lentes et profondes pour que le mal disparaisse
rapidement. Faites-en l'essai, c'est presque magique! (Mais
il n'est pas nécessaire de vous frapper le genou intentionnel-
lement sur un coin de table... attendez plutôt que l'occasion
se présente!)

Certains diront que l'air pollué de la ville est irrespirable
et qu'il serait idiot de faire des efforts pour y respirer à pleins
poumons. Sachez que même dans un air vicié, le prâna est
présent. On pourrait dire qu'une molécule d'air contient
seulement un tiers de substances polluées et que les deux autres
tiers sont composés de prâna et de particules nécessaires à la
survie. Si nous devons vivre dans un environnement pollué,
la meilleure protection que nous puissions avoir est de visua-
liser que seule la partie lumineuse et la plus pure de l'air inhalé
est transmise à nos cellules, et que le reste est tout simplement
rejeté lors de l'expiration.

Si nous apprenons à transformer en brises douces et
vivifiantes les tornades intérieures que sont la plupart de nos
respirations actuelles, si nous diminuons notre rythme de
respiration de moitié, si nous offrons une quantité maximale
de prâna ou d'énergie régénératrice à toutes les cellules de
notre corps, alors dites-moi pourquoi ne pourrions-nous pas
aspirer à une vie plus longue beaucoup plus agréable!

LE PEUPLE CENTENAIRE DES HUNZAS

Il existe dans les Himalayas un peuple dont l'espérance
de vie a largement dépassé la nôtre. Christian H. Godefroy
décrit très bien dans son livre *Les secrets de santé des Hunzas*
les us et les coutumes de ce peuple. Je vais tenter de vous en
présenter les grandes lignes afin que vous puissiez en tirer vos
propres conclusions.

Les Hunzas vivent dans une vallée inaccessible de l'Himalaya située à 3 000 mètres d'altitude. On y dénombre environ 30 000 habitants. Les centenaires y sont nombreux et peuvent atteindre facilement l'âge vénérable de 145 ans. Dans cette région il n'existe aucune monnaie. Il ne s'y fait pas de commerce. Les Hunzas ne connaissent pas la maladie. Cancer et infarctus sont des mots inconnus... pour eux. Ils atteignent leur maturité physique et intellectuelle à l'âge de 100 ans. Aussi n'est-il pas rare de voir des Hunzas de 90 ans procréer et des femmes de ce même âge passer pour des occidentales de 40 ans. À faire rêver, n'est-ce pas?

Un docteur écossais portant le nom de Mac Carrison a pu être admis au sein de cette communauté et y séjourner quelque temps. Il y a pratiqué certaines expériences; ce qui lui a permis de nous renseigner sur leurs trois grands secrets de santé.

Le premier secret est évidemment l'alimentation.

Le Dr Carrison fit une expérience sur trois souris. La première fut nourrie à la manière des Hunzas et jouit d'une santé resplendissante. La deuxième fut alimentée à la manière des habitants du Cachemire, le pays voisin. On dénota chez elle, déjà après quelque temps, des traces de maladie. La troisième, la pauvre, fut nourrie à la mode occidentale et ne tarda pas à démontrer des symptômes de neurasthénie.

Mais quel était donc le contenu «miraculeux» de l'alimentation des Hunzas? En voici les grandes lignes.

- Deux repas par jour

- Aucun additif chimique

- Des céréales

- Des fruits et légumes crus

- Du lait et des fromages (sources de protéines animales)

— Des viandes blanches à l'occasion (deux ou trois repas par semaine)

— Toutes viandes rouges proscrites (celles-ci prennent trois heures à être digérées et leur absorption abusive cause l'encrassement des artères)

— Des yoghourts, noix et amandes

— Du pain spécial fait avec de la farine non blanchie, c'est-à-dire conservant les traces du grain, porteurs de vitamines E (ayant entre autres comme vertu d'entretenir les capacités sexuelles)

— Le pain blanc est complètement banni.

Comme on peut le constater, leur alimentation n'est ni complètement végétarienne, ni parsemée d'interdits. **Elle est composée de produits naturels ingérés dans des proportions raisonnables.** Un bel exemple à suivre!

> *Le deuxième secret des Hunzas*
> *est l'exercice physique quotidien.*

Les Hunzas parcourent habituellement de 15 à 25 kilomètres par jour. Il n'est pas rare non plus de voir des centenaires jouer au volleyball ou au polo. Ils pratiquent aussi le yoga ainsi que certaines techniques de respiration dirigée. Ils travaillent à un rythme lent en prenant certaines poses durant lesquelles ils se détendent ou méditent (ce qui n'est pas tout à fait le cas dans nos usines...). La journée de travail débute à cinq heures. Les Hunzas se couchent tôt. Ils suivent le soleil, se couchant et s'éveillant avec lui. Selon eux, les meilleures heures de sommeil se situent avant minuit.

> *Le troisième secret est plutôt surprenant:*
> *«Pas de retraite».*

Pour eux, vivre c'est bouger. Puisque le travail n'est pas une corvée pour ces gens, ils n'ont même pas l'idée d'arrêter.

Quelles conclusions pourrait-on tirer de l'exemple que nous donne les Hunzas? Peut-être qu'il est grand temps pour nous, Occidentaux, de laisser tomber nos vieux programmes ancrés profondément dans nos cellules depuis trop longtemps déjà, programmes qui nous rappellent incessamment qu'à *quarante ans* nous nous devons de commencer à décliner, qu'à *soixante ans* nous devons laisser la place aux jeunes et nous mettre sérieusement à penser à vivre notre vieillesse dans une solitude... bien méritée, puis qu'à *quatre-vingts ans*, nous devons considérer que nous avons bien de la chance d'être encore en vie et penser sérieusement à déguerpir, afin de débarrasser la société de notre présence devenue quelque peu encombrante. Accepter cette façon de vieillir, c'est déjà être vieux. Savoir entretenir sa jeunesse d'esprit, cultiver en soi une curiosité constante, c'est assurer à son corps et à son esprit des années de jeunesse supplémentaires, et pourquoi pas éternelles!

Cet exemple des Hunzas a fait naître en moi un nouvel espoir. Il m'a permis de comprendre que mes limites n'avaient été créées que par moi-même au cours de mes années d'apprentissage. Les Hunzas m'ont redonné un nouveau défi, celui de vivre jusqu'à 200 ans, heureux, en constante évolution et en parfaite santé physique et mentale. Ils m'ont fait prendre conscience également que tout ceci pouvait se réaliser seulement si je changeais mon alimentation, ma façon de vivre et de penser.

En guise de conclusion à ce chapitre traitant de la possibilité de vivre jusqu'à 200 ans et plus, je vous propose quelques phrases sur lesquelles méditer... et que vous pourriez peut-être placer sous votre oreiller!

Je prends de plus en plus plaisir à m'alimenter à la table dressée si amoureusement par ma mère la Terre et je lui en suis éternellement reconnaissant.

Par la pratique de la respiration lente et profonde, je maximise le processus de régénération de mes cellules en absorbant une quantité de plus en plus importante de «prâna».

Je dédramatise ma vie ainsi que ma vison du monde et de ses problèmes en acceptant le fait que chacun a choisi, bien qu'inconsciemment, de passer à travers tout ce qu'il est en train de vivre. J'admets que ce choix personnel est fait dans un but d'évolution constante de l'âme pour atteindre la perfection.

J'entretiens quotidiennement le désir d'aller toujours plus loin, à tous les niveaux, en recherchant sans cesse la simplicité et la joie de vivre.

Chaque année m'apporte un brin de sagesse et de jeunesse intérieure supplémentaires.

Je cultive constamment le sourire et je l'offre à tout mon entourage. J'en fais ma marque de commerce.

J'accepte maintenant l'idée de vivre jusqu'à 200 ans et je me prends en main afin d'y arriver.

Je domine mes pensées et je pratique la pensée positive.

*Vous pouvez évaluer votre âge par les difficultés que vous
éprouvez au contact d'une idée nouvelle.*

Jules Michelet

*La véritable jeunesse est une qualité
qui ne s'acquiert qu'avec l'âge.*

Jean Cocteau

Je retrouve ma jeunesse à chaque tournant de ma vie.

Alphonse Daudet

Le plus long voyage commence par un simple pas.

Proverbe ancien

*Le corps n'est qu'un serviteur, l'instrument de la pensée.
Il a été créé uniquement pour vous servir et se maintiendra
en vie aussi longtemps que vous lui en donnerez les
moyens. Si vous acceptez des pensées de vieillissement,
vous attendant à ce qu'il dépérisse, ou si vous
ne lui accordez pas l'amour, le bonheur et la joie,
il ira vers la décrépitude et la mort.*

Ramtha

Chapitre 11

LA PENSÉE POSITIVE

«De même que le vent emporte les graines et les sème au loin, de même nos pensées et nos paroles s'envolent et vont produire loin de vos yeux des résultats mauvais ou bons.»

Ces quelques lignes d'une grande sagesse expriment bien l'importance de la pensée positive dans la recherche d'une meilleure qualité de vie. Mon vieux sage me dit un jour que la maîtrise de la pensée positive était essentielle pour accéder à un niveau de conscience supérieure. La façon de penser est tellement importante qu'elle peut transformer une même situation en un cauchemar ou en une occasion de grandir. Elle peut également faire vieillir hâtivement une personne ou agir comme véritable fontaine de Jouvence assurant une jeunesse éternelle.

Pour illustrer ces propos, prenons l'exemple de deux hommes d'affaires qui possédaient exactement le même genre d'usine. Leur chiffre d'affaires était semblable et ils menaient sensiblement le même train de vie. La seule différence entre eux était leur façon de penser. L'un était extrêmement positif, l'autre constamment négatif. Une nuit, un incendie rasa leurs deux usines respectives en l'espace de quelques heures. Nos deux compères se retrouvèrent complètement démunis. Leur première réaction fut exactement la même, soit un sentiment de grande colère devant leur impuissance. Rage

et pleurs furent leur lot durant les heures suivant la catas-
trophe.

Quelques jours plus tard, l'homme d'affaires négatif, ne
parvenant pas à surmonter son désarroi, se mit à se complaire
dans son malheur. Rien ni personne n'arrivaient à le consoler,
car il avait la fâcheuse habitude de ne voir en toute situation
que la «bête noire», le côté négatif. Maintenant, il en subissait
les conséquences. Il se dit que tout ce temps passé à ériger
son empire était à jamais perdu, que sa vie était terminée et
qu'il ne pourrait jamais remonter la pente. Il broya tant de
noir dans les semaines qui suivirent l'incendie qu'il dépérit à
vue d'œil et mourut à petit feu quelques mois plus tard à la
suite d'une dépression.

Après avoir laissé sagement ses émotions s'exprimer à
travers ses cris et ses pleurs, notre homme d'affaires positif,
quant à lui, se sentit soulagé. Il se dit que c'était un mal pour
un bien, car le quotidien avait commencé depuis un certain
temps à l'ennuyer. En y regardant de plus près, il constata que
ses anciennes installations étaient quelque peu désuètes et ses
méthodes de travail tout aussi archaïques. Convaincu depuis
longtemps que tout dans la vie pouvait devenir une occasion
de grandir et de s'améliorer, il décida qu'au lieu de s'enliser
en s'apitoyant sur son sort, il devait retrousser ses manches
au plus tôt pour rebâtir une usine plus moderne afin de rendre
ses employés heureux et de les motiver à travailler dans un
nouvel environnement. Il canalisa donc toutes ses énergies à
la reconstruction de son usine au lieu de les employer à se
détruire. Quelques années plus tard, il avait doublé son chiffre
d'affaires et depuis ce temps, il prospère dans un bien-être
matériel et spirituel sans cesse grandissant.

En faisant la synthèse des deux cas, on peut constater que
seule la façon de voir les choses a fait que le premier homme
est mort prématurément et que l'autre chemine toujours vers
un bonheur plus grand. La pensée négative a mené l'un vers
la détresse, tandis que la pensée positive a conduit l'autre vers
une richesse plus grande.

Lorsqu'on apprend à penser positivement, on arrive à transcender toute situation négative pour ne porter son attention que sur ce qu'elle peut apporter de bon. Chaque événement de la vie peut devenir une occasion d'avancement ou de recul. Dans l'exemple que nous venons de voir, l'incendie n'était qu'un prétexte qui permit à l'un de se dépasser et à l'autre de... trépasser!

Je vais à présent vous proposer certaines marches à suivre pour atteindre la pensée positive dans votre quotidien. Dans ce but, voici quelques règles d'or que je m'efforce d'appliquer depuis plusieurs années et dont l'expérience m'a maintes fois confirmé l'efficacité.

> *Toujours chercher à trouver le bon côté d'une situation pour pouvoir l'exploiter à son avantage.*

Nous nous levons le matin, le ciel est gris et nos projets sont compromis. Notre première réaction est de nous dire que nous allons nous ennuyer toute la journée. Il est certain qu'en pensant ainsi, nous attirerons des gens qui nous confirmerons la véracité de ce que nous avons affirmé à notre réveil et qui se feront un devoir de nous rabattre les oreilles avec les mauvais côtés d'un temps maussade. N'oublions pas ce principe qui dit que **nous attirons les gens et les événements qui viennent nous confirmer que ce que nous croyons est vrai.** Par contre, la personne positive évitera de se plaindre et se demandera plutôt: «Qu'est-ce que je peux trouver de positif là-dedans?» Elle pourra découvrir que cette pluie qui la retient à l'intérieur peut lui fournir l'occasion rêvée de lire ce fameux ouvrage dans lequel elle désire se plonger depuis longtemps. Elle pourra choisir de se «payer» quelques heures supplémentaires de sommeil, une sortie au cinéma avec les enfants, enfin une foule d'activités qu'elle n'aurait pu s'offrir si le soleil avait été au rendez-vous.

Si vous proclamez envers et contre tous que votre journée sera excellente malgré la pluie, vous attirerez les gens et les événements qui viendront confirmer votre affirmation. Cette recherche constante du positivisme peut s'appliquer à chacune des situations dites «négatives». Le plus difficile n'est pas de le faire, mais d'y penser!

Serge Lama a su admirablement traduire cette façon de penser dans le titre de l'une de ses chansons: «*Aussitôt que l'on chante, c'est déjà qu'il fait beau.*»

> *Se tenir prêt à tout moment à réagir positivement même dans les situations et les conversations les plus banales.*

Une des questions les plus anodines dans notre société est: «Comment ça va?», et la réponse qui s'ensuivra sera tout aussi banale: «Pas pire», «Pas mal», «Pas le diable», etc. On ne peut trouver meilleur exemple de négativisme! La prochaine fois qu'on vous posera cette question, soyez prêt à réagir positivement et répondez plutôt: «Bien» ou «Très bien». Mais, me direz-vous, et bien légitimement d'ailleurs, c'est facile de répondre ainsi quand tout va bien. Mais si ce n'est pas le cas; si je suis malade par exemple, quelle serait alors la réponse positive et honnête à donner? À ce moment-là, vous pouvez simplement répondre que vous êtes bel et bien malade, mais que vous êtes toutefois convaincu que ça va aller de mieux en mieux dans les prochains jours. Vous mettez ainsi en branle, en vous et autour de vous, tout un processus pour accélérer votre guérison. Pensez maladie et vous l'attirerez, pensez santé et vous la cultiverez.

Avec une telle démarche positive, vous découvrirez des réponses-clés vous permettant de vous sortir honorablement de tous les pièges tendus par votre entourage, pièges qui normalement pourraient provoquer chez vous des réactions négatives.

> *Éviter de ne centrer toute son attention que sur ce qui peut nuire à la réalisation de ses projets.*

On a souvent tendance à ne voir que les facettes négatives des projets qu'on a en tête. Ceux-ci sont souvent tués dans l'œuf dès qu'on voit poindre le premier problème à l'horizon. Bien sûr, il faut prévoir les difficultés mais éviter de s'y accrocher, car ils éteindront toute motivation.

Louise est invitée chez des amis qu'elle désire revoir depuis longtemps. L'invitation allume en elle un grand enthousiasme. Son intuition l'assure que ce projet serait salutaire pour elle. C'est alors que monsieur l'intellect fait son entrée en lui disant d'un ton réprobateur: «Mais voyons Louise, tu ne peux pas! Les enfants, qui va les garder? Ton mari a besoin de toi? As-tu pensé à tes deux chats? Qui va les nourrir?», et ainsi de suite. Louise pourrait facilement tomber dans ce piège que lui tend son intellect et abandonner en moins de deux son projet. La culpabilité aurait encore réussi à la faire reculer.

Regardons maintenant comment aurait pu réagir une Louise positive. Comme elle sait reconnaître les messages lancés par son intuition, Louise se rend bien compte que ce voyage serait une excellente occasion pour elle. Puis, elle attend de pieds fermes les problèmes que son mental fera surgir en elle pour les régler un à un: «Les enfants? Je suis certaine de trouver une gardienne fiable si je cherche un peu. Sans doute profiteront-ils pleinement du fait de retrouver à mon retour une mère reposée et épanouie. Mon mari? Quelques jours d'éloignement ne fera qu'attiser notre amour; au retour nous reprendrons le temps perdu. Les chats... mon mari s'en occupera!»

Cet exemple nous montre que dès qu'un problème se présente à nous, il faut aussitôt que possible **se concentrer sur les éventuelles solutions** au lieu de se morfondre à ne voir que ses côtés négatifs. Ainsi toute l'énergie disponible servira à trouver des moyens pour en arriver au but. Encore une fois, je ne dis pas qu'il ne faille pas voir les problèmes et jouer à l'autruche, mais je dis plutôt que toute l'énergie dépensée à broyer du noir est à jamais perdue. Déterminer avec notre cœur ce qui est bon pour nous, mettre toute notre attention sur le but visé et trouver la solution à chaque problème qui se présentera, voilà la façon la plus simple et la plus facile d'avoir accès tout au long de notre existence à beaucoup de bonheur.

> *Ne porter son attention que sur les côtés positifs*
> *des gens et éviter de les juger.*

Il y a quelques années, j'ai vécu une expérience très enrichissante qui me fit complètement changer d'attitude envers les autres. J'avais un ami que j'estimais énormément. On se voyait assez souvent, on s'entraidait chaque fois que c'était possible, et à chacune de nos rencontres c'était la fête. Vint un jour où mon travail m'obligea à le côtoyer plus souvent que d'habitude et c'est à ce moment que je découvris certains de ses défauts, que je n'avais jamais constatés auparavant. Je remarquai son excessive arrogance, sa tendance à vouloir se penser meilleur que les autres et à prendre beaucoup de place autour de lui. Mon attention se portait de plus en plus sur ses mauvais côtés, ce qui m'amena à l'éviter le plus possible. Je me surpris même à le détester. C'est alors que se posa à moi une de ces questions embarrassantes qui viennent souvent nous hanter dans les moments cruciaux de notre existence: «Dis-moi, André, comment peux-tu avoir entretenu depuis longtemps de si grands liens d'amitié envers une personne et, du jour au lendemain, sans raisons majeures, te mettre à le détester?» Mon ami et moi étions en réalité exactement les mêmes personnes qu'auparavant, aucun de nous n'avait changé durant ce laps de temps. Seule ma façon de penser était différente. En effet, au début de notre relation, je ne voyais que ses qualités. Puis, je me mis à ne remarquer que ses défauts qui, je le constate aujourd'hui, étaient pour la plupart les miens à ce moment-là. Je me retrouvais donc devant un miroir qui me reflétait des facettes de moi-même que je n'aurais jamais osé m'avouer autrement. Comme je ne m'attardais que sur ses défauts, je les amplifiais par le fait même. Dès que je compris ce que je venais de faire, je décidai de «renverser la vapeur» le plus rapidement possible avant qu'il ne soit trop tard pour sauver cette amitié, et je m'efforçai de redécouvrir les bons côtés de cet ami, en acceptant ses défauts comme partie inhérente de sa personne. À partir de ce moment, nos relations s'améliorèrent et, en ne me concentrant

que sur ses qualités – il en avait plusieurs à ma grande surprise
– je finis par perdre complètement de vue les facettes de sa
personne qui me déplaisaient. Aujourd'hui, je le remercie de
m'avoir permis de découvrir cette grande vérité, pourtant si
simple. Si celle-ci était comprise par la majorité des humains,
elle entraînerait la tolérance et le respect nécessaires à l'établissement de cette ère de paix à laquelle les chercheurs de
vérité aspirent tous. Personne sur cette terre n'est complètement mauvais. Au fond de chacun de nous sont enfouies
d'innombrables perles qui ne demandent qu'à briller de tout
leur éclat. Sachons regardez au bon endroit et avec le bon œil!

Se libérer de tout sentiment de culpabilité.

La maîtrise de la pensée positive passe nécessairement par
l'élimination de tout sentiment de culpabilité. **Nous sommes
responsables de nos actions,** qu'elles soient bonnes ou mauvaises; **nous n'en sommes pas coupables.** Selon notre perception des choses, tout «échec» peut devenir un tremplin
placé sur notre route dans le but de nous projeter plus loin, si
nous avons la sagesse d'y prendre élan afin d'accélérer notre
montée. L'échec devient alors une expérience de laquelle
nous pouvons tirer une leçon. Si par la suite nous sommes
suffisamment vigilant, nous nous ferons de moins en moins
prendre au piège. Par contre, si nous continuons à nous
culpabiliser de tout et de rien, comme cela nous fut hélas très
souvent inculqué dans notre tendre enfance, nous ne ferons
que continuer à tourner en rond en nous plaignant sur notre
sort et en ne retirant rien de nos «expériences».

Prenons l'exemple d'un homme qui, à la suite d'une
discussion virulente, s'enflamme et lance à son interlocuteur
des paroles blessantes. Un peu plus tard, lorsqu'il a repris ses
esprit, il regrette d'en être venu là. Deux solutions s'offrent
alors à lui:

1. Continuer à se culpabiliser de n'avoir pas su s'arrêter
à temps et se morfondre en attendant que le temps arrange
tout.

2. Accepter son imperfection et le fait que ses émotions lui aient fait dire des choses qu'il regrette à présent, puis se pardonner. C'est souvent dans ces occasions qu'il s'apercevra que l'homme est le plus sévère des juges face à ses propres actes. Lorsque le processus du pardon envers lui-même est amorcé, il ne lui reste plus qu'à passer par-dessus son orgueil et à se réconcilier aussitôt que possible. Dès que cette prise de conscience est faite, le reste de la démarche devient facile.

Si notre homme opte pour cette dernière solution, il accepte le comportement qu'il a eu durant cet événement, mais il ne se sent plus coupable. S'il est un tant soit peu à l'écoute de lui-même, il en tirera la leçon suivante: «La prochaine fois, aussitôt que je sentirai monter en moi de telles émotions dans une situation semblable, je me retirerai immédiatement afin de ne pas perdre la tête.» Alors, cette «erreur» se sera transformée en une merveilleuse expérience qui lui aura été bénéfique à tous les points de vue.

Chaque difficulté est l'occasion d'avancer d'un pas.

Lorsque nous nous replions égoïstement sur notre petite personne, nous refusons de faire ce pas, nous couvrant alors du voile parfois confortable de la culpabilité. Si, au contraire, nous relevons la tête et fonçons droit devant en cherchant ce que nous devons faire **personnellement** pour régler tel ou tel problème, sans gaspiller d'énergie à essayer de changer les autres, on attirera assurément les événements et les gens qui nous aideront à vaincre toute difficulté, en plus de nous permettre d'en tirer une leçon salutaire. Alors, au lieu de nous culpabiliser de nos moindres bévues, nous en rirons et les utiliserons pour éviter les prochains écueils.

Développer une foi inébranlable en sa réussite.

Dans la vie quotidienne comme dans les affaires, il ne faut jamais douter de sa capacité de réussir. Chaque personne a le pouvoir, et je dirais même le **devoir**, de réussir. La peur continuelle de l'échec engendre souvent des pensées qui attirent les malheurs. Ainsi, la cause véritable d'une faillite est souvent la peur d'échouer de l'un des fondateurs de l'entreprise. Cette crainte nourrie inconsciemment par des pensées négatives donnera naissance à un égrégore qui explosera s'il n'est pas remplacé par des pensées plus positives. Ceci s'applique également pour l'union d'un couple. Un de mes proches décida un jour, à la grande surprise de tous, de se marier en clamant à qui voulait l'entendre qu'il ne s'agissait que d'un essai, et que de toute façon c'était tellement facile de divorcer de nos jours qu'il ne courait aucun risque à tenter sa chance. Il maintenait alors en lui, dès le départ, l'idée de l'échec et, comme vous pouvez le deviner, son mariage échoua après la première année.

On a tous droit à la réussite. Si on ne l'atteint pas, c'est qu'on ne la désire pas assez. Quelque part au plus profond de notre être, le doute, l'impuissance et la non-confiance émettent des ondes négatives impossibles à repousser tant nous avons l'habitude de penser négativement. On dit que le doute et la peur de l'échec sont nos plus grands ennemis quand nous devons entreprendre quelque chose. Si la peur attire le malheur, la confiance, par contre, engendre l'abondance. En s'efforçant de prendre les moyens pour accroître sa confiance en soi, aucun problème ne sera insurmontable, car toutes les forces seront dirigées vers la réussite au lieu de s'éparpiller dans des directions ne menant nulle part.

> *Chercher constamment le positif en toute chose,*
> *même dans les situations les plus «dérangeantes»,*
> *sans issues apparentes.*

Qu'y a-t-il de plus difficile à vivre que la mort d'un proche? Que peut-on trouver de positif à un tel événement? Il est évident qu'un décès entraîne beaucoup d'émotions qu'il est nécessaire et vital de laisser sortir. Il serait néfaste d'accumuler cette peine en nous au lieu de lui permettre de s'exprimer. Dans ces cas, il est extrêmement important de pleurer, de crier notre révolte et notre impuissance face à cet événement qui nous a échappé. Mais nous devons par la suite nous prendre en main, car la vie continue, qu'on le veuille ou non. Il est souvent plus facile de se complaire dans sa peine durant une longue période de temps que de reprendre la route.

Le repos et le calme sont les remèdes les plus sûrs pour faire rejaillir en nous le goût de continuer. En toute situation dramatique, il est préférable de laisser couler le temps et de prendre un certain recul afin de profiter des retombées positives qui en découlent.

Une personne que j'aimais beaucoup est décédée d'un cancer il y a quelques années. Le temps m'ayant permis aujourd'hui de jeter un regard plus objectif sur cet événement, j'ai pu y déceler beaucoup de points positifs. À la suite de l'annonce de sa maladie, cette personne s'est mise à évoluer à une allure fulgurante. N'ayant pas cédé à la tentation de se plaindre continuellement sur son sort, elle entreprit plutôt une démarche spirituelle extraordinaire, entraînant avec elle les parents et amis qui voulurent bien la suivre. Elle prit conscience elle-même de l'importance de vivre le moment présent, et le fit découvrir également à son entourage. Les excès ayant entraîné la détérioration de sa santé furent de sérieux avertissements pour ceux dont les «antennes» de la compréhension étaient déployées. Toute la période précédant son départ aura également permis la réunion de la famille ainsi que la création, entre certains de ses membres, de liens plus forts qui tiennent encore aujourd'hui. Finalement, son attitude positive en aura incité plusieurs à cheminer dans une voie spirituelle plus éclairée et à vivre pleinement.

Toute l'expérience vécue par cette personne m'aura également permis de vous servir un exemple extraordinaire de pensée positive.

Merci à toi, Carole.

À la mort d'un conjoint, la pensée positive peut apporter de nombreux bienfaits. Quand un tel événement survient, il est tout à fait normal de pleurer amèrement cette perte en se remémorant les moments vécus auprès de l'être cher. Cette réaction est nécessaire pour libérer son subconscient de tous les souvenirs qu'on se remémore à ce moment précis. Ensuite, le temps effaçant peu à peu la peine, on se retrouve devant deux façons typiques de réagir, l'une négative et l'autre positive.

Tout d'abord l'approche négative. La personne s'apitoyant sur son sort et n'ayant pas la force ou le courage de se
prendre en main aura des réflexions comme celles-ci:

- Je ne peux pas vivre sans lui (elle).

- La vie sans lui (elle) ne vaut plus la peine
d'être vécue.

- Je ne serai plus jamais heureux(se).

- Me voici maintenant seul(e) dans la vie.

- Tout s'est écroulé, je suis fini(e).

- Il ne me reste qu'à attendre la mort à mon tour.

- etc.

Les personnes entretenant trop longtemps de tels sentiments négatifs provoquent à leur insu la concrétisation de
leurs pensées et rejoignent leur conjoint quelque temps après.

Regardons maintenant de quelle façon une personne positive réagira devant le même événement. Après avoir laissé
le temps sécher les larmes si curatives du désespoir et de
l'impuissance, elle reprendra la nouvelle route qui se dessine
alors devant elle en orientant ses pensées dans ce sens:

- Si mon (ma) conjoint(e) pouvait me parler, je suis
certain(e) qu'il(elle) préférerait de beaucoup me voir rire et
m'amuser au lieu de pleurer et de m'apitoyer sur mon propre
sort?

- Quelles sont les choses que je pourrais me permettre
maintenant, et que je ne pouvais pas réaliser quand mon(ma)
conjoint(e) vivait (voyages, cours, sports, etc.).

- Au lieu de gaspiller mon énergie à pleurer, je vais
plutôt l'employer à donner mon surplus d'amour à mes amis,
à mes enfants.

- Je vais avoir enfin du temps pour réaliser mes grands
rêves (musique, danse, peinture, etc.).

• Je crois que j'ai encore droit au bonheur et je vais m'efforcer de m'y appliquer entièrement.

• Le temps passé avec mon(ma) conjoint(e) fut très profitable et je veux l'en remercier en utilisant ce bonheur, qui appartient maintenant à «hier», pour me créer un futur à la mesure de celui-ci.

• etc.

Comme vous le voyez, selon l'attitude positive ou négative de celui ou celle qui reste, la mort du conjoint aura servi à quelque chose ou à rien.

Nous avons fait ici état de la perte du conjoint, mais nous aurions tout aussi bien pu parler du départ d'un être qui nous est cher.

Il est intéressant de constater qu'une personne réagit dans les moments difficiles de son existence de la même façon qu'elle le fait dans sa vie quotidienne. Ainsi, le fonceur ne se laissera jamais abattre devant les vicissitudes que lui présente son «destin», l'éternel indécis contournera toujours les diffi- cultés de manière à ne pas avoir à prendre de décisions, le plaignard, quant à lui, s'apitoiera sur son sort en trouvant mille et une raisons pour qu'on le prenne en pitié, et ainsi de suite. Voici donc d'excellentes raisons pour décider de vivre de plus en plus positivement.

Le développement de la pensée positive n'est pas une affaire de quelques semaines, mais plutôt de plusieurs années. C'est un travail qui pourra paraître parfois ardu, mais qui en vaut vraiment la peine. Vous comprendrez qu'on ne peut pas jeter par-dessus bord et en un tournemain un schème de pensée qu'on a entretenu durant vingt ans, trente ans, années pendant lesquelles on disait et on pensait n'importe quoi, sans avoir idée des conséquences positives ou négatives qui en découlaient. La maîtrise de la pensée positive s'acquiert par la pratique ainsi que par une grande compréhension de ses erreurs et une acceptation de celles-ci. Il est donc important de toujours garder en tête le principe suivant: *Il y a toujours un point positif en toute chose, en tout être et en toute situation*

*et qu'il ne faut jamais lâcher prise avant d'avoir découvert
ce point.* Après avoir passé des années dans ce sillon de la
pensée positive, je peux vous affirmer que pour moi la vie
s'est beaucoup dédramatisée depuis et elle a pris un sens
nouveau. De plus, ce travail, qui a tôt fait de se transformer
en un jeu si on ne se prend pas trop au sérieux, a aussi la
particularité de devenir de plus en plus facile et de donner
rapidement des résultats surprenants.

Si durant votre apprentissage vous ne réussissez vraiment
pas à trouver de côtés positifs à une situation donnée, c'est
probablement parce que vos émotions vous empêchent de
voir clair. Laissez le temps agir. Puis, au besoin, demandez
l'aide d'une personne plus positive et plus objective. Expli-
quez-lui votre cas et acceptez de mettre ses suggestions à
l'étude en évitant de refermer trop rapidement les portes
qu'elle ouvrira devant vous.

On peut donc en déduire que plus une personne s'effor-
cera de penser positivement, plus son ciel sera bleu, moins les
événements malheureux et le stress auront d'emprise sur elle.
La pensée positive est selon moi le remède le plus sûr contre
tout ce qui peut nous contrarier. Elle est peut-être même la
véritable assurance-santé!

---

*À partir de maintenant, et de plus en plus, je demeure à
l'affût des pensées négatives qui tentent de m'atteindre et je
m'entraîne à réagir positivement. J'accepte mes erreurs et
j'ai la sagesse d'en tirer des leçons.*

Il n'y a jamais de drame dans la vie d'un sage.

François Mauriac

Le plaisir se ramasse, la joie se cueille,
le bonheur se cultive.

Lamartine

Présente ton visage au soleil et jamais l'ombre ne viendra
troubler ton bonheur.

Helen Keller

Celui qui entretient son esprit de pensées positives est
maître de son heureuse destinée, de son bonheur.

Dr Victor Pauchet

Si tu es content de tout, tu es déjà roi.

Jean Vanier

Il est dit qu'un optimiste rit pour oublier
alors qu'un pessimiste oublie de rire.

Octave Crémazie

Chapitre 12

HOMMAGE À LA FEMME

En cette période critique que nous traversons tout doit passer par la femme. Celle-ci est devenue une semeuse ayant pour mission de recueillir ici et là des renseignements sur la connaissance spirituelle, et de la diffuser subtilement, parfois à dose homéopathique, partout autour d'elle et en des terrains propices. Elle a cette minutieuse tâche de transpercer l'épaisse carapace dont l'homme s'est entouré au cours des dernières années lorsqu'il s'était établi roi et maître sur toute la création..., et d'y faire glisser à sa façon ses précieux messages.

On raconte que l'Atlantide fut anéantie parce que ses habitants, aveuglés par leurs connaissances intellectuelles et par la technologie extrêmement avancée avaient perdu peu à peu tout contact avec le monde spirituel et ils avaient par le fait même mis en veilleuse leur intuition, véhicule du divin. L'humanité d'aujourd'hui semble en être arrivé au même point, mais cette fois-ci la femme est en train de prendre sa place, de s'infiltrer dans ce monde machiste dans lequel ne règne souvent que la loi de l'intellect. L'intervention de la femme dans la société ne peut avoir pour effet que de ramener un sain équilibre entre les forces.

L'homme a depuis belle lurette fait mainmise sur la politique, la religion, les mondes intellectuel et financier. Toutes les énergies et tous les efforts qu'il a gaspillés à l'établissement et au maintien de ce pouvoir lui ont peut-être fait perdre peu à peu son âme! Il n'y a pourtant rien de foncièrement méchant dans sa démarche. Le problème, c'est que cette habitude de supériorité s'est installée chez lui avec le temps, de génération en génération, sans qu'il ne s'en rende compte. Maintenant, il considère cette suprématie masculine comme tout à fait normale et indiscutable.

L'homme a créé en lui et autour de lui un déséquilibre qui s'est répercuté à bien des niveaux, ce qui lui a fait perdre le véritable sens de l'harmonie et du bien-être de l'humanité. Il a acquis par la force des choses cette vilaine habitude de n'agir souvent qu'en fonction de son développement personnel. L'homme ainsi imbu de son *ego* agit comme un organe du corps humain qui déciderait un jour de cesser de travailler pour le bien-être du corps entier pour ne s'occuper que de son propre fonctionnement, indépendamment des autres composantes de l'organisme auquel il appartient. Peu à peu, le reste du corps s'en ressentirait et souffrirait parce que l'un de ses éléments ne travaille pas en harmonie avec les autres. C'est à ce moment précis qu'éclatent les conflits. Le corps tout entier en ressent les soubresauts et devient malade! Les guerres déclarées ici et là ne sont souvent que le fruit de batailles intellectuelles et idéologiques entre hommes d'État qui semblent rester parfois totalement indifférents devant les pertes humaines. Il leur importe uniquement d'avoir raison.

La femme, qui fut écartée longtemps de toute décision politique, religieuse et parfois même familiale, s'ouvrait pendant tout ce temps au sens profond de la vie. Au moment où le mâle ne respectait que sa propre façon de penser et de mener le monde, la femme cherchait ici et là d'autres valeurs plus profondes, car inconsciemment elle savait qu'il n'était pas suffisant de brandir des pancartes féministes pour réclamer sa juste place et qu'elle aurait à «reprendre les rênes» le jour où cet univers machiste serait à la veille de s'écrouler.

La femme a laissé la gent masculine tout détruire autour d'elle et bâtir un monde désorganisé, pollué et basé sur des valeurs matérielles et intellectuelles où l'intuition n'avait pas sa place. L'intuition, disait-on, il faut laisser ça aux femmes! Ce qu'on ignorait alors, c'est qu'en tout homme il y a un côté féminin qui sommeille et ne demande qu'à s'exprimer, non pour se traduire en des airs efféminés, mais pour lui apporter entre autres **la puissance de l'intuition et le désir de la beauté intérieure et extérieur**e.

Cette force intuitive de la femme l'incitait pendant tout ce temps à laisser les loups se dévorer entre eux. Elle se contentait de préparer en elle un terrain favorable à l'élaboration de son plan pour le printemps qui allait venir.

Il est arrivé maintenant ce temps des semailles.

La femme, mue par un désir profond de trouver des moyens pour faire émerger de la pénombre un monde meilleur et plus harmonieux, commence déjà à planter les petites graines de sagesse qu'elle avait pris bien soin d'amasser pendant les temps de sécheresse. En ce printemps de l'humanité nouvelle, on la voit projeter autour d'elle son savoir et sa richesse spirituelle. Elle conseille subtilement l'homme, l'entraîne peu à peu sur sa route. Elle sait où elle s'en va et c'est pourquoi personne ne pourra l'arrêter. À force de consolider sa puissance intérieure par une insatiable soif de comprendre le fond des choses et d'engendrer continuellement la beauté, elle ne pourra qu'entraîner l'humanité vers ce fameux âge d'or qu'on nous promet depuis des siècles. La femme devient peu à peu la source de la connaissance et de tout espoir de paix sur cette terre. Apporter la paix est son but ultime et elle y parviendra si elle persévère et devient consciente de l'importance de sa mission.

Quand l'homme sera rendu au fond du cul-de-sac dans lequel il s'affaire à conduire la race humaine, il n'aura d'autres choix que de s'abreuver à cette source et **d'écouter enfin ce qu'a à dire la femme**. Il deviendra alors en quelque sorte son élève et cheminera à ses côtés.

À *toutes ces femmes...*

... qui cherchent inlassablement les vrais valeur de la vie,

... qui savent persévérer dans leur quête de connaissances spirituelles malgré les rires moqueurs et les sarcasmes de leur entourage,

... qui savent entretenir en elles ce feu sacré les entraînant vers un constant désir de savoir,

... qui ont appris à faire confiance en l'univers et en ses précieux guides.

À vous toutes, je présente mes hommages et mes encouragements les plus sincères. Sachez qu'en tant qu'homme, j'apprends de jour en jour à apprécier votre rôle grandissant de semeuses de Paix.

À *tous les hommes...*

... qui se sont reconnus dans ce chapitre... sans rancune! Si vous avez eu le courage de poursuivre votre lecture jusqu'ici, c'est que vous avez déjà parcouru un grand bout de chemin vers cet équilibre qui fait de l'être humain un sage.

Chapitre 13

LETTRE OUVERTE À MON VIEUX SAGE

Te souviens-tu, cher Sage, avec quelle intensité et par quels sinueux chemins je t'ai cherché tout au long de ma quête de spiritualité? Je ne me serais jamais douté un seul instant que tu étais si près de moi et que tu attendais seulement que j'ouvre toutes grandes mes «oreilles intérieures» pour capter tes précieux conseils. Pendant tout le temps où tu escomptais patiemment une ouverture de ma part, je courais le monde à ta recherche. Parfois, je trouvais quelqu'un qui te ressemblait. Alors, tu en profitais. Par son intermédiaire, tu me glissais quelques bribes de vérité, quelques messages que je n'aurais jamais cru s'ils étaient venus directement de toi. Ceux-ci étaient tellement plus crédibles à travers les paroles des autres!

Dès ma naissance, tu étais là et tu commençais déjà à m'enseigner les rudiments de la vie. Je t'écoutais, je suivais aveuglément tes conseils, car mon cerveau n'avait pas encore commencé à tout brouiller, comme il s'appliqua à le faire quelques années plus tard... et encore maintenant. Ah! comme j'étais docile, n'est-ce pas? Tu me disais de pleurer comme un déchaîné lorsque j'avais faim ou besoin d'attention. Je m'exécutais sans poser de questions me rendant bien compte que j'obtenais toujours ce que je désirais. Et quand tu m'appris à mettre un pied devant l'autre pour me diriger vers les bras si doux de ma mère, j'accomplissais ce que tu me dictais avec une obstination digne des plus grands butés de la terre n'ayant en tête que la réussite que je savais assurée, car j'avais alors entièrement confiance en toi. Ah! c'était le bon temps pour nous! On était comme des frères, inséparables.

Mais, peu à peu, lorsque je suis devenu plus autonome, je me suis éloigné de toi. Ce n'est pas toi qui t'es retiré, c'est moi qui me suis fermé à tes paroles de plus en plus dérangeantes. Mes parents, mes éducateurs, les prêtres du haut de leur chaire prirent alors ta place. Ils me firent comprendre assez rapidement que tu n'existais que dans mon imagination. Ils n'eurent aucune peine à me convaincre que cette voix intérieure qui me conseillait si subtilement n'était qu'illusion et que je ne devais pas toujours me laisser guider par mes «intuitions» de peur de m'égarer dans une voie hors de «leur» vérité. «C'est la science qui primera dans ta vie, mon enfant», me disaient-ils. «Tu seras médecin ou architecte, c'est tout ce qui importe», «Sois vigilant et prends bien soin de t'éloigner de tout ce qui ne peut être prouvé et vérifié scientifiquement. Le reste n'est que perte de temps et chimères ésotériques.»

Comme ton cœur devait vibrer d'amertume en entendant ton si fidèle disciple approuver tout cela, cher Sage. Mais je suis sûr que tu t'attendais à cette réaction de ma part, car tu ne t'es pas sauvé. Tu t'es seulement mis en retrait momentanément, le temps que je goûte pleinement à ce monde de l'intellect si attirant et que je m'y trempe suffisamment pour réclamer ton aide en dernier recours... au moment où j'allais sombrer.

Tu dois sûrement te rappeler de ces sept années que j'ai vécu au séminaire de Québec, et pendant lesquelles j'appris à égrener inlassablement chapelets par-dessus chapelets entre messes, vêpres et confessions. J'y ai pris un soin méticuleux à bien me faire souffrir en plaçant des punaises entre ma ceinture et ma peau, la pointe tournée vers celle-ci, car on disait à cette époque que Dieu aimait qu'on souffre pour lui... et moi je voulais faire ma part! Chaque soir, je faisais religieusement le décompte des indulgences ainsi obtenues durant ma journée. Je sortis de cette expérience complètement saturé de ce monde dogmatique religieux où j'avais laissé une partie de mon identité.

Puis, en l'espace de quelques jours, tu dois t'en souvenir, je balançais tout par-dessus bord. Je reniai toute cette foi qu'on m'avait obligé à faire mienne pour n'en garder que quelques disparates éléments que j'estimais être d'une certaine logique avec ce que je pensais.

Il fallait bien que ma crise d'adolescence, refoulée depuis des années fasse son apparition à ce moment précis, comme si ce n'était pas assez! J'eus beau alors essayer de trouver des réponses à mes questions existentielles dans l'alcool, la drogue, le «je-m'en-foutisme», je ne trouvai que de minces réconforts temporaires dans ce grand désert qu'était devenue ma vie et où je ne rencontrais que désolation et incompréhension.

Ne voyant que le néant autour de moi, j'eus même le culot de mettre en doute ta propre existence, cher Sage, en même temps que celle de Dieu ou de toute force suprême. Je me contentai de vivre au jour le jour, sans me poser de questions. Je ne pensais qu'à être heureux, moi avec moi, tout simplement. C'est à ce moment que j'ai senti ta présence remonter à «ma» surface. J'ai cru déceler que la seule chose qui comptait pour toi était que je fusse heureux.

Enfin libéré des cloisons religieuses dont je m'étais entourées durant toutes ces années, je tombai dans l'autre extrême et optai pour la liberté totale. Je parcourus, sac à dos, toute l'Europe, puis l'Afrique à ta recherche. J'étais sûr de te rencontrer dans une quelconque grotte, loin de toute civilisation. Même durant cette ascension du mont Kilimandjaro, je me surprenais à scruter l'horizon dans l'espérance de voir surgir d'un repaire un vieil homme à la barbe blanche, prêt à me transmettre la science infuse et la sagesse absolue! La seule exaltation que j'y trouvai fut celle des hauteurs.

Durant ce périple à travers le monde, il m'arrivait de rencontrer une âme qui acceptait de me parler de sagesse. Maintenant, je comprends que c'est toi qui lui glissais les paroles qui me convenaient à ce moment précis pour que je les accepte plus facilement. Après chaque rencontre, je me retrouvais indubitablement seul avec moi-même, plus éclairé, mais également un peu déçu. J'aurais tant voulu te rencontrer en chair et en os. J'aurais espéré que tu me dises quoi faire au moment où j'avais besoin d'aide, que tu enlèves de ma tête tous ces doutes qui me hantaient. J'aurais voulu que tu me transmettes par un geste de la main ou par une parole tes pouvoirs de voyance et de guérison. J'aurais tellement désiré que tout se passe vite afin de ne pas perdre de temps. Ce que je voulais au fond, c'est que tu fasses entrer en moi la Puissance divine sans que j'aie à m'y préparer. Tu devais bien rire devant l'insistance de mes constantes demandes, espèce de «vieux ratoureux», mais j'avoue que ta patience à mon égard fut sans borne! Tu savais ce qui m'attendait et tu savais également que le temps n'avait aucune importance du moment que le but avait une seule petite chance d'être atteint.

Après t'avoir couru aux quatre coins du monde, je me mis à te chercher à travers des «maîtres» qui apparaissaient comme par hasard sur ma route. Chaque fois, je croyais t'avoir enfin trouvé, mais aussitôt que je m'attachais à eux, ils me glissaient entre les doigts et je me retrouvais alors peut-être un peu plus sage, mais toujours le bec dans l'eau, seul avec moi-même. Tu devais bien rire dans ta barbe, car j'étais convaincu que tu devais sûrement en porter une très longue comme tous les vrais sages qui se respectent!...

Puis, je tentai de parfaire mon éducation avec des livres, des conférences, des rencontres de toute sorte. J'encombrai donc peu à peu ma bibliothèque d'une multitude de bouquins traitant de spiritualité et d'ésotérisme. De chacun d'eux, j'extirpais une parcelle de vérité. Je me laissais guider – par toi je suppose – vers certains conférenciers qui semblaient, les chanceux, avoir enfin trouvé leur voie, peut-être même leur sage. Mais, toi où étais-tu? J'étais pourtant si sûr de te trouver sur ma route.

Un jour, j'entendis parler de méditation. Ah! quel grand mot! Il signifiait pour moi lévitation, perte de l'*ego*, rencontres cosmiques, etc., un vrai tapis magique, quoi! On m'expliqua que la pratique de cette discipline n'avait qu'un seul but, celui d'entrer en contact avec son vrai Moi, son Maître intérieur... C'est alors qu'une petite lumière s'alluma. Était-ce possible que ce soit toi, cher Sage, ce Maître intérieur...? Non c'était trop simple, trop facile. Je n'avais pas parcouru des milliers de kilomètres durant des années pour te trouver après quelques instants de relaxation en plein centre de mon cœur, si près, à même ma petite personne!

J'empruntai donc cette nouvelle voie et me mis à méditer, avec ma tête au début, avec mon cœur un peu plus tard. Les résultats se firent attendre, mais aussitôt que j'eus simplifié au maximum ma façon de méditer en ne cherchant que le calme et la paix dans mon être tout entier par l'arrêt du flot de mes pensées, j'entendis une toute petite voix intérieure me dire: «Oui, que veux-tu savoir?» C'était enfin toi, cher Sage de mon cœur, qui me parlais ainsi. «Mais où t'étais-tu caché durant toutes ces années?», te dis-je sur un ton réprobateur! «J'attendais que tu te débouches les oreilles, fainéant, et que tu regardes à l'intérieur de toi pour voir si j'y étais! Il était temps, tu sais», m'as-tu répondu avec un humour que j'espérais depuis toujours retrouver chez un sage.

Ayant enfin trouvé la clé de ton repaire, je me mis dès lors à te redécouvrir et à refaire connaissance avec toi en te retrouvant de plus en plus souvent. Quelques instants suffisaient pour me permettre de t'atteindre. Tu me parlais directement, souvent par mon intuition, parfois par l'intermédiaire de ma plume. Bien sûr, au cours de certaines périodes de remises en question et de doutes, j'avais encore besoin de capter tes précieuses paroles par l'entremise de voyantes, de tarologues, de numérologues, mais je reconnaissais chaque fois que c'était toi qui me parlais à travers eux. Je savais que le vieux sage de mon cœur, c'était cette partie divine à l'intérieur de moi qui sait tout et qui ne me demande que de conscientiser tout ce savoir qu'elle possède en réserve. Dorénavant, toi et moi ne faisions qu'un. J'ai appris à te reconnaître dans tout ce qui me fait avancer dans la vie.

Cher Sage de mon cœur, je te dis merci de ta douce patience et de ta divine persévérance à mon égard. À ta place, j'aurais sûrement abandonné la partie devant tant d'entêtement de ma part et je me serais trouvé un autre être plus compréhensif à qui donner mes perles...! Mais toi, tu n'as jamais lâché. Dans les moments difficiles, tu me dirigeais vers les gens et les événements qui étaient les plus aptes à me redonner confiance. Tu ne demandais jamais de reconnaissance. Tu te faisais passer pour un guide, une bonne intuition, le conseil d'un bon ami, la grâce d'un guru. Aujourd'hui, je te reconnais et j'espère que ta bienveillance à mon égard pourra éveiller la curiosité d'autres humains également à la recherche de leur vieux sage. Qu'ils prennent simplement conscience que tous les gurus et maîtres qu'ils trouveront sur leur route ne seront que l'écho de leur vrai sage intérieur qu'il suffit simplement d'apprendre à apprivoiser. Que tous ces chercheurs de vérité apprennent à se taire, à faire confiance et à écouter...

Je t'aime tant et je demeure bien à Toi.

André

BIBLIOGRAPHIE

ABD-RU-SHIN. *Dans la Lumière de la Vérité*, Éditions françaises du Graal, 1962.

AIVANHOV, Omraam Mikhaël. *La nouvelle terre*, Éditions Prosveta, 1983.

AIVANHOV, Omraam Mikhaël. *Les pensées quotidiennes*, Éditions Prosveta.

BACH, Richard. *Illusions*, Flammarion, 1978.

BACH, Richard. *Un pont sur l'infini*, Flammarion, 1985.

BACH, Richard. *Un,* Éditions Un monde différent, 1989.

GIVAUDAN, Anne et Daniel Meurois. *Récits d'un voyageur de l'Astral*, Éditions Arista, 1983.

GIVAUDAN, Anne et Daniel Meurois. *Terre d'Émeraude*, Éditions Arista, 1985.

GIVAUDAN, Anne et Daniel Meurois. *De mémoire d'Esséniens*, Éditions Arista, 1984.

GRAD, A.D. *Initiation à la kabbale hébraïque*, Éditions du Rocher, 1982.

HARVEY, André. *Sur la voie de la sagesse*, Éditions de Mortagne, 1989.

HILL, Napoléon et STONE, W. Clément. *Le succès par la pensée constructive*, Éditions du Jour, 1973.

LEBRUN, Maguy. *Médecins du ciel, médecins de la terre*, Éditions Robert Laffont, 1987.

MESSADIÉ, Gérald. *L'homme qui devint Dieu*, Éditions Robert Laffont, 1988.

MILLMAN, Dan. *Le guerrier pacifique*, Éditions Soleil, 1985.

MUKTANANDA, Swami. *En compagnie d'un SIDDHA*, Éditions de la Maisnie, 1981.

MUKTANANDA, Swami. *Kundalini*, Paris, Éditions SYD FRANCE, 1981.

MUKTANANDA, Swami. *Méditer*, Paris, Éditions de la Maisnie, 1982.

SPALDING, Baird T. *La vie des Maîtres*, Éditions Robert Laffont, 1972.

MURPHY Docteur Joseph. *La puissance de votre subconscient*, Éditions du Jour, 1973.

MURPHY Docteur Joseph. *Comment utiliser les pouvoirs de votre esprit?*, Éditions Inter, 1984.

RAMPA, T. Lobsang. *Les secrets de l'aura*, Éditions J'ai lu, 1971.

RAMTHA. *Ramtha*, Éditions Astra, 1988.

PHYLOS. *J'ai vécu sur deux planètes*, Éditions Robert Laffont, 1972.

POORHLIET, Rien et HUYGEN, Wil. *Le Livre Secret des Gnomes*, Éditions Albin Michel, 1982.

VALLIÈRES, Ingrid. *Thérapie et réincarnation*, Éditions de Mortagne, 1990.

COURS ET CONFÉRENCES

BOUDREAULT, Claudette. Lectures d'aura

GAGNON, Clémence. Restructuration des croyances

GAUTHIER, Guy, et PANNETON, Claude. Perfectionnement Humain

KOLESAR, Natacha. Conférences

Les citations à la fin des chapitres ont été tirées d'un recueil de pensées compilées par Sr Thérèse Boivin, N.D.P.S.

Achevé d'imprimer
en septembre 1991 sur les presses
des Ateliers Graphiques Marc Veilleux Inc.
Cap-Saint-Ignace, Qué.